C000300038

CYRRAEDD YR HARBWR DIOGEL
Atgofion drwy Ganeuon

Cyrraedd yr Harbwr Diogel

Atgofion drwy Ganeuon

ARFON WYN

gol. Lyn Ebenezer

Gwasg Carreg Gwalch

Argraffiad cyntaf: 2022
Hawlfraint: Arfon Wyn/Gwasg Carreg Gwalch

Rhif Llyfr Safonol Rhyngwladol:
978-1-84527-848-9

ISBN elyfr: 978-1-84524-469-9

Cyhoeddwyd gyda chymorth Cyngor Llyfrau Cymru

Dylunio'r clawr: Eleri Owen

Cyhoeddwyd gan Wasg Carreg Gwalch,
12 Iard yr Orsaf, Llanrwst, Dyffryn Conwy, Cymru LL26 0EH.
Ffôn: 01492 642031
e-bost: llyfrau@carreg-gwalch.cymru
lle ar y we: www.carreg-gwalch.cymru

Argraffwyd a chyhoeddwyd yng Nghymru

Cyflwynedig i

Nia, Elin, Annes a Meilyr ac i'r diweddar Eric a Beti Humphreys (fy nhad a'm mam). Diolch iddynt oll am eu hanogaeth a'u cyngor ar hyd y blynyddoedd ac am ddiodda'r strymio a'r dolbio piano di-ddiwedd.

Diolchiadau

Diolch i'r holl gerddorion sydd wedi gweithio gyda mi ar hyd y blynyddoedd i roi'r caneuon yma ar gof a chadw. Diolch i Myrddin ap Dafydd am y cyfle, i Manon Wyn am deipio ac i Lyn Ebenezer am ei anogaeth a'i olygu cyfeillgar ac amyneddgar.

Cynnwys

I.

Cân y Crwydryn

Sut wyt ti, hen gyfaill ar dy ffordd,
Yr hen grwydryn?
Cofiaf di er yr amser pan oeddwn ddim ond plentyn;
Chwarddais ar dy locsyn hir a'th ddillad carpiog yn y
gwynt;
Gwthiaist ti dy drol i gario'th nwyddau prin ar dy hynt.
'Rwyt fel y Sipsi bach rhamantus yn crwydro o le i le,
Dywed, beth a welaist ar draws y wlad, mewn aml i dre?
A ddangosodd natur ei gwersi gwerthfawr i'th lygaid
euraid
Neu a yw'r amseroedd prysur hyn yn tristáu dy enaid?

Mae'r gân hon i ti ar dy ffordd,
Mae'r gân hon i ti ar dy ffordd.

Aml i noson y cysgaist dan y lloer
A rhynnaist mewn rhyw stabl ar lawer noson oer,
A phan fydd y glaw a'r stormydd yn taro ar fy nhŷ,
Meddyliaf ble ar y ddaear wyt ti a oes gennyt lety.
Dywed i mi, a gefaist dawelwch yn dy grwydro,
Yn dy hwyl diniwed, dy yfed a'th aml botshio?
Neu a wyt ti yn parhau i grwydro yn dy feddyliau,
Yn chwilio o hyd am ateb bywyd i hen gwestiynau?
Ond heb eu cael.

Mae'r gân hon i ti ar dy ffordd,
Mae'r gân hon i ti ar dy ffordd.
Bendith Duw, hen gyfaill ar dy ffordd!

Washi Bach – y crwydryn enwog ym Môn a gogledd Cymru

Bai Mam a Nain oedd hyn i gyd o'r cychwyn! Fe wnaeth y ddwy glybio efo'i gilydd i brynu gitâr i mi pan o'n i'n ddeg oed. A mam yn prynu taflen gerddoriaeth 'I Want to Hold your Hand' gan y Beatles i mi, fel petai hi'n gwybod yn iawn mai hwy fyddai un o'r dylanwadau mwyaf arnaf fel cyfansoddwr.

Gyda llaw, nid mynd o gwmpas clybiau nos Caerdydd oedd clybio yng Ngogledd Cymru ond talu fesul dipyn i Littlewoods neu Freemans am nwyddau ar HP. Ond roedd o'n fwy diniwed. Ffordd dda oedd hon yn y 60au i bobl dlawd dalu am bethau ffansi fel gitâr. Yn ogystal dwi ddim yn meddwl mai'r cwmni motor-beic oedd y rhai a wnaeth y gitâr dan sylw, er mai 'Triumph' oedd ei gwneuthuriad hi.

Chwarae teg i Nhad, y fo ar y llaw arall a dalodd, drwy weithio 'overtime', am fy ngwersi piano. A hefyd am y piano ei hun, a thalu i ddyn 'Yes, No' i ddod i'w thiwnio. Ie, dyna oeddan ni'r plant yn galw pobol oedd yn siarad Saesneg, iaith oedd mor ddieithr bryd hynny yn y pentre lle'r oeddan ni'n byw.

Wel, y gwersi piano fu'n gyfrifol am i mi ddod i garu melodïau hyfryd Bach, Handel, Haydn ac eraill. Dwi'n cofio dotio ar 'Jesu, Joy of Man's Desiring' gan Bach a'r Largo gan Handel. Does yna ddim amheuaeth bod y melodïau cynnar clasurol hyn ynghyd â thonau emynau wedi dylanwadu yn ddwfn arna'i fel cerddor. Dyna pam roedd alawon fel 'Yesterday', mor llawn o felodi cryf, yn apelio gymaint ata'i a minnau ond yn ifanc iawn.

Pan oeddwn yn blentyn yn y cyfnod cynnar hwn roeddwn i'n ymwybodol bod nifer o dramps, neu grwydriaid, o gwmpas y lle yn Sir Fôn. Yn eu plith roedd yr enwog Washi Bach ac eraill tebyg iddo. Dwi'n cofio un yn dod i gnocio ar ddrws tŷ ni, sef Tŷ Capel, Rhos y Gad, Llanfairpwll, un prynhawn braf pan o'n i'n ifanc iawn. Rhoddodd Mam frechdan ffres iddo a chorn-bîff ynddi. A dyna ddiwedd arni. Roedd gan Mam ei ofn o braidd achos doedd Nhad ddim adref. Caeodd y drws arno'n glep. Es i allan i chwarae ychydig wedyn i'r ardd, a dyna lle'r oedd y fechdan flasus yr olwg ar y clawdd heb ei chyffwrdd. Holais Mam pam fod y tramp 'di gadael y frechdan.

'O, jyst isio pres oedd o i gael cwrw mashŵr sti,' medda Mam. 'A doeddwn i ddim am roi pres iddo at hynny.'

Roedd Mam yn ddirwestwraig gall. Ha! Roedd un crwydryn yr oeddwn wedi ei weld o gwmpas y lle yn wahanol i'r lleill. Roedd ganddo locsyn andros o hir a thywyll, het ddu ar ei ben a hen goets pram babi i gario'i holl eiddo. Cysgu mewn tai gwair a wnâi ran amlaf. A doedd ffarmwrs y cyfnod ddim yn poeni os oedd crwydriaid neu ddynion di-waith o Fôn, oedd yn cerdded i lawr i'r De neu i ardal Wrecsam i chwilio am waith, yn cysgu yn y mannau clyd a sych hyn. Gwnaeth y crwydryn hwn argraff fawr arna'i. Hynny, hwyrach, oherwydd y locsyn du a'r gwallt du hir a oedd yn codi ofn a chreu cywreinrwydd mewn plentyn ifanc.

Ro'n i'n poeni am un peth arbennig ynglŷn â'r crwydryn hwn, ac yn wir yr holl grwydriaid eraill. Byddwn yn gofidio beth fyddai'n digwydd iddynt mewn stormydd garw, a hitha'n tywallt y glaw ac yn chwythu'n enbyd a th'rana a mellt lond yr awyr. Fe boenais am hyn lawer tro wrth glywed y storm yn rhuo y tu allan i'n tŷ ni, a finna yn blentyn tua'r wyth oed ac yn ddiogel a chynnes yn fy ngwely clyd.

Yr atgof o'r poeni hwnnw oedd y tu ôl i un o'r caneuon cyntaf i mi ei hysgrifennu yn Gymraeg. Roeddwn i wedi cyfansoddi un gân eisoes o'r enw 'Ti Wyddost Beth Ddywed fy Nghalon', ac wedi ei chanu yn eisteddfod yr ysgol. Ond Saesneg oedd iaith y canu pop yr adeg honno ac yn Saesneg, mwya'r cywilydd wrth edrych yn ôl, y byddwn i a'm ffrindiau cerddorol yn sgwennu caneuon.

Roedd y Beatles a'r Rolling Stones a'r Small Faces yn dduwiau i ni'r adeg honno. Ac yn nes ymlaen, sêr fel Eric Clapton a Peter Green a Genesis fyddai'n denu ein holl edmygedd cerddorol a chreadigol. Yn wir, bu bron i mi a'm ffrind Charlie Goodall gael ein hel adra am gyfnod o'r ysgol am beintio 'Clapton is God' yn nhoiledau mawr y bechgyn yn Ysgol David Hughes, Porthaethwy. Roeddan ni ar y ffordd at fod yn rebals a hipis go iawn yn nes ymlaen yn ein hanes.

Ond cyn hynny, roeddwn i bellach yn byw mewn byngalo newydd yn Llanfairpwll ac yn treulio oriau yn eistedd ar erchwyn fy ngwely efo gitâr Yamaha acwstig. Roedd y Triumph druan 'di cael ffling i gefn y wardrob erbyn hynny. Cofiaf i mi ddechrau meddwl am y crwydryn barfog o adeg plentyndod a dyfalu beth oedd ei hanes bellach – ac os oedd o'n fyw, hyd yn oed.

Byddwn yn gwrando llawer yn y cyfnod hwn ar Paul Simon a chantorion-gyfansoddwyr eraill tebyg. A chaneuon fel 'Blackbird' a 'Norwegian Wood' gan y Beatles wrth gwrs ar gitâr acwstig. Felly dyma fynd ati i sgwennu cân oedd yn ceisio cydymdeimlo â'r crwydryn druan er ei fod o bosibl yn fudr ac efallai'n drewi'n arw. Dyma ddechra efo cyfarchiad personol gan siarad yn uniongyrchol â'r dyn yma na wyddwn ei enw na hyd yn oed ei flas-enw:

Sud wyt ti hen gyfaill ar y ffordd..,
Yr hen grwydryn..,
Cofiaf di er yr amser pan oeddwn ddim ond plentyn...

Ceisiais fynegi'r consyrn hwnnw oedd gen i amdano mewn amser o stormydd mawr:

...A phan ddaw y glaw a'r storm yn chwythu ar fy nhŷ,
Meddyliaf ble ar y ddaear wyt ti?
A oes gennyt lety?

Cydymdeimlad â'r crwydryn sydd yn y gân ac nid condemniad ohono. Gellir dweud fod y werin bobol ledled Cymru yn oddefgar iawn o'r crwydriaid. Ac yn gyffredinol roedd y mwyafrif o bobol yn ffeind iawn at y fath anffodusion. Dynion oedd y rhan fwyaf, hogia wedi methu setlo ar ôl y ddau Ryfel Byd. Roedd rhai efo problem y ddiod, eraill efo salwch meddwl ymylol. Ond byddai croeso i'r fath rai yn y cymunedau Cymreig yn y pumdegau.

Roedd gwybod PAM yr oeddynt yn crwydro yn rhan o'm chwilfrydedd ynglŷn â hwy fel plentyn. Beth oedd wedi eu gyrru i'r math yma o fywyd? Ac yn y gân dwi'n holi'n ddyfnach am y crwydro yma:

A wyt yn chwilio o hyd am ateb bywyd
I hen gwestiynau ond heb eu cael?

Yn union felly ro'n i'n teimlo, gan fy mod i'n tybio fod gen i lawer yn gyffredin â'r crwydryn. Chwilio oeddwn i mewn gwahanol ffyrdd am ateb bywyd i ystyr ein bodolaeth. Felly roeddwn innau hefyd yn grwydryn yr un modd ond yn grwydryn oedd yn dilyn llwybrau'r meddwl a'r enaid. Gorffennais y gân gyda'r geiriau y byddai fy nain yn eu hadrodd wrthym fel plant, er nad oeddwn ar y pryd yn deall eu hystyr:

Bendith Duw i ti ar dy ffordd.

Dewch ymlaen i 1971, a minnau newydd ddechra yn y Coleg Normal, Bangor; lle abnormal ar y naw! Doedd y 'rhyddid' newydd bondigrybwyll heb gyrraedd y lle hwn o gwbwl. Cefais fy hel adra deirgwaith am fod fy ngwallt yn rhy hir. Ac roedd yn rhaid i mi wisgo blêsyr ffurfiol i fynd ar ymarfer dysgu mewn ysgolion llwydaidd lle nad oedd fawr neb yn gwenu. Roedd y dosbarth canol parchus ar i fyny a llawer o'r darlithwyr yn styc yn y mwd. Blwyddyn wnes i bara! Ond yn y flwyddyn honno yr oeddwn i a fy ffrind gora a oedd yn dal yn yr ysgol, wedi sefydlu grŵp roc arbrofol o'r enw The Resurrection. Ia, grŵp Saesneg, a oedd yn eitha llwyddiannus a deud y gwir.

Mewn un gig fawr ym Mangor gwnaethom lenwi'r Gadeirlan hyd yr ymylon. Roedd y lle yn llawn hipis, ac arogl olew 'patchouli' arnynt ynghyd ag arogl rhyw chwyn arall hefyd! Ha! Cawsom wrandawiad gan gwmni recordiau o Lundain a derbyn canmoliaeth am y sain gwreiddiol 'Prog Rock'. Ond oherwydd bod hanner y band yn dal yn yr ysgol, dwi'n meddwl fod hynny wedi rhoi'r dampar ar bethau ac fe gollwyd cyfle da.

Yn y cyfnod hwn roedd cystadleuaeth roc yn y Felinheli o bob man, ond i grwpiau Cymraeg yn unig. Er mwyn cael cystadlu dyma ni'n newid enw'r band am y diwrnod i'r Atgyfodiad. Wel pwy fysa'n meddwl? Fe wnaethon ni ennill y wobr am y grŵp gora. Y beirniad oedd rhyw foi doeddan ni, wrth gwrs, ddim erioed wedi clywad amdano fo. Rhyw Mistar Dafydd Iwan. Y ni, oedd yn rai oedd yn gwrando ar y Disc a Dawn cynnar ac yn chwerthin am ben grwpiau mor hen-ffasiwn efo dim ond un gitâr Sbaenaidd a llwyth o 'hicks' yn canu'n swynol 'run pryd. Ychydig a wyddem y byddem ar y rhaglen honno yn fuan wedyn.

Rhoddodd Dafydd Iwan bob anogaeth i ni, er ei fod yn un o'r criw hynny efo dim ond gitâr Sbaenaidd hen-ffash, chwarae teg iddo fo. Yn wir, cynigiodd i ni gyfle i recordio EP (disg feinyl efo tua phedair cân arni oedd EP, sef 'Extended Play'). Doedd rhai o hogia The Resurrection ddim yn dymuno mynd lawr y lôn Gymraeg a Chymreig hon. Ond yr oeddwn i.

Roeddwn i wedi cyfarfod â dyn hynod o'r enw Dr R. Tudur Jones a oedd yn Brifathro Coleg Diwinyddol ym Mangor, gan ddarlithio yno hefyd. Dangosodd ddiddordeb diffuant yn y band ac fe roddodd yntau bob cefnogaeth i ni, er ein bod ni'n gwneud 'cythrel o sŵn' yn ôl rhai o'i gyfoedion. Fe wnaeth ef a'i deulu, ei blant yn arbennig, fy narbwyllo mai Cymro oeddwn i. Mewn gwirionedd, Cymro byrhoedlog am ychydig o'm ieuenctid oeddwn i, Cymro oedd wedi gwadu ei Gymreictod.

Rhaid oedd cael cerddorion yn sydyn i lenwi lle'r rheiny oedd am oedi yn y byd roc Saesneg. Pwy ddaeth i'r adwy ond Gwyndaf 'Ar Log' Roberts, a'i frawd Dafydd yn ymuno yn nes ymlaen. Hefyd daeth cariad ffrind gora Nia fy nghariad ar y pryd, sef John Gwyn o Fethesda, i ymuno â ni, gitarydd medrus. Ac ar y drymiau cawsom Keith Snelgrove o ardal Tywyn, Sir Feirionnydd. I mewn â ni i'r stiwdio!

Pa stiwdio, medda chi? Wel, stiwdio hynod arbennig Rockfield yn ne Cymru. Yn y stiwdio hon y bu sêr fel Robert Plant, Queen, Coldplay, Black Sabbath, Rush, Simple Minds ac yn fwy diweddar Oasis yn recordio. Dave Edmunds oedd yn rhedeg y lle pan oeddem ni yno fel Atgyfodiad. Bu hwn yn brofiad bythgofiadwy. Golygodd recordio am bedair awr ar hugain yn ddi-stop. Ond roedden ni angen caneuon Cymraeg ar gyfer y record feinyl hon a chofiais am y gân am y crwydryn. Dyma ei chanu i Huw Jones (Huw Jones 'Dŵr') a dyma fo'n ei chymeradwyo ar gyfer yr EP.

Felly daeth y gân efo'i chydymdeimlad i'r hen grwydryn barfog yn handi iawn i fod yn un o'r pedair cân gyntaf i mi erioed eu recordio yn y Gymraeg. Diolch i Dr Tudur a'i deulu am eu dylanwad yn fy ngyrru yn ôl at fy ngwreiddiau.

Fe wnes i recordio'r un gân ddwywaith ar ôl hynny ond heb ddim lwc i'w chael hi ar y radio. Roeddwn i'n naïf iawn o ran deall anghenion y cyfryngau a'u dull o weithredu am flynyddoedd. Wnes i ddim sylweddoli na châi cân yn para pum munud a 36 eiliad unrhyw groeso'r dyddiau hynny. Er i mi edmygu Don McLean am wrthod byrhau ei gân 'American Pie' er mwyn ei gwneud yn fwy 'radio friendly' (cân a oedd yn para saith munud, gyda llaw), pa obaith oedd gan ryw ganwr pop bach o Gymro oedd ar gychwyn ei yrfa i gael cân oedd yn para dros bum munud i gael ei chwarae?

Er dweud hynny, rhaid canmol dau berson arbennig a fyddai'n anwybyddu'r canllaw caeth hwn sef Hywel Gwynfryn a Jonesy. Roedd y ddau hyn mor boblogaidd ar y radio fel y caent chwarae unrhyw ddisg a chân a fynnent. A hwy oedd yr unig rai a feiddiodd chwarae 'Cân y Crwydryn' ar yr awyr. Ond yn anffodus doedd hynny ddim yn ddigon i ganiatáu i'r gwrandawyr ddod yn gyfarwydd â hi. Ac felly dyma pam nad ydach chi o bosib erioed wedi clywed y gân hon a recordiwyd gyntaf ar EP gychwynnol yr Atgyfodiad yn 1974.

Diddorol yw nodi, ddegawdau wedi rhyddhau'r EP hon, i Gruff Rhys ddewis un gân allan o'r pedair, 'Cynnwrf yn ein Gwlad', ar gyfer ei gasgliad enwog o ganeuon trawiadol o orffennol pop Cymraeg, sef y clasur *Welsh Rare Beat* a ryddhawyd yn 2005. Diolch Gruff am atgyfodi caneuon yr Atgyfodiad!

Biti na fyswn i wedi deall y sgôr efo caneuon hir, sef eu bod nhw'n anaml yn cael eu chwarae ar y radio. Ond mewn gwirionedd, fel y dywedodd Don McLean (dylanwad mawr arna'i fel canwr/gyfansoddwr), o gwtogi cân i un pennill, golygai y gwnâi wedyn golli ei hystyr, a'r gân ei hun fel cyfanwaith yn colli ei gwerth.

Tri thro i Gymro, ond gwrthodais newid y gân er mwyn cael êr-plê. Ac o bosib mae'n well fy mod i heb wneud hynny.

EP gyntaf Atgyfodiad

2.

Ni Welaf yr Haf

Syllaf ar y môr a gwaed y gorwel pell,
Cofiaf am hen amser a dyddiau tipyn gwell,
Gadewais i fy nghartref oedd nepell o dref Bala
A gorfodwyd ni i ffoi i Wladfa Patagonia.

Ni welaf yr Haf, Ni welaf yr Haf, Ni welaf yr Haf
Yn yr Hafod ar y mynydd mwy.

Rhaid oedd im ymadael a gadael fy ngwlad,
Ni allwn aros yno a derbyn y fath sarhad,
Gadael yr hen fwthyn llwm a rhaid oedd mynd i ffwrdd
O afael cas a chreulon, o law y tir-feddiannwr.

Ni welaf yr Haf, Ni welaf yr Haf, ni welaf yr Haf
Yn yr Hafod ar y mynydd mwy.

Dros y môr yr aethom a gwaeledd ddaeth i'n rhan,
Bu farw dau o'r plantos a hefyd eu mam,
Y dagrau nawr sy'n llifo a hiraeth yw fy mhoen,
Does gennyf ddim yn eiddo yn awr ond yr hyn sydd am
fy nghroen.

Ti rwm di rwm di reido, Ti rwm di reidai do,
Ti rwm di rwm di reido, Ti rwm di reidai do,
Ti rwm di rwm di reido, Ti rwm di reidai do.

Ni ddaw yr Haf o'r Hafod ar y mynydd,
o'r Hafod ar y mynydd,
O'r Hafod ar y mynydd mwy.

Nest Llywelyn, finna a'r band yn ennill Cân i Gymru yn 1979

Er nad ydych o bosib yn gyfarwydd â'r gân arbennig hon a gyfansoddais yn 1979, fe fyddwn yn ffôl i beidio ei chynnwys gan fod cymaint o hanes y tu ôl iddi. Fe wnaeth, yn wir, ennill cystadleuaeth Cân i Gymru'r flwyddyn honno. Roedd Pererin wedi cychwyn fel grŵp prog-roc-gwerin ond roeddwn â gwir awydd rhoi cynnig ar Gân i Gymru am y tro cyntaf yn yr un cyfnod.

Dyma holi criw o ffrindiau cerddorol o'r ardal i gychwyn. Roedd Nia fy ngwraig yn ffrindiau mawr efo Nest Llywelyn (Howells ar y pryd). Roedd Einion (bodhran) a minnau wrth gwrs wedi bod yn jamio caneuon gwerin ers blwyddyn a mwy, a dyma ofyn i ddau arall ymuno efo ni sef Gerwyn James (yr hanesydd) ar y mandolin a Sioned Hughes, a fu yn yr ysgol efo Nia a Nest, yn chwarae'r ffliwt. Roeddan ni'n jamio yn swynol ac yn effeithiol iawn. Ond roedd yn rhaid cael cân, on'd oedd!

Es i ati i feddwl am bwnc a oedd yn agos iawn at fy nghalon gan anelu at sgwennu cân newydd sbon. Yn aml iawn mae'n rhaid i mi gael rhywbeth sy'n cyffwrdd fy nghalon i'r byw cyn gallu sgwennu cân ystyrlon ac yn un sy'n gân o bwys i mi fy hun. Daeth un pwnc i'r fei; roedd Keith Best newydd ennill Etholaeth Môn yn yr Etholiad Cyffredinol y flwyddyn honno. Hwn oedd y tro cyntaf i Dori gipio'r ynys. Sôn am friw ar y galon! Sôn am siom enbyd!

Dwi'n cofio Siôn Aled a 'mrawd Ifor a mi yn mynd dros Bont y Borth i'r ochor arall lle roedd arwydd Môn Mam Cymru ar ganllaw'r bont. Fe wnaethon ni lynu poster efo past dros yr arwydd yn dweud:

SOLD
(Subject to Contract)

Teimlwn mor drist a siomedig fel i mi ddechrau meddwl am ymfudo i Iwerddon. Dwi wedi caru Iwerddon a'i phobl ar hyd y blynyddoedd ac yn dod ymlaen yn wych gyda nhw. Eu hagwedd radlon a charedig sy'n fy nghyffwrdd fwyaf. Cofiaf un wraig a oedd yn weddw yn cadw gwely a brecwast y tu allan i Spiddal ger Galway. Roedd ei thŷ yng nghanol nunlle ac yr oedd hi wedi cael y gorchwyl erchyll o ofalu am y Moniars ar ôl gig Teledu RTE yn Spiddal.

'What time's breakfast?' gofynnais iddi yn glên, gan gofio i ni chwarae gig yn Chelmsford ychydig ynghynt a bod Saesnes ronc wedi clochdar yn uchel arnom gan gyhoeddi:

'Breakfast is served between 6.30a.m & 8.30am PRECISELY! and no later!'

Mam bach, am amser annaearol, medda finna gan ychwanegu dan fy ngwynt, 'Y globan gas!' Dynes hollol wahanol oedd Mrs O'Cleary. 'Well,' medda hi mewn ymateb i'm hymholiad, 'I'll tell you what, we'll have breakfast when you get up.'

Mor Wyddelig; mor hamddenol. Roedd hi'n gweld ein bod ni wedi blino'n rhacs ar ôl teithio o Ddulyn i Spiddal ac wedyn perfformio tan yn hwyr. Doedd dim rheolau caeth a gwirion ganddi, dim ond croeso twymgalon fel ail fam. A finna'n deud wrth yr hogia:

'No wê dach chi'n cael malu'r lle yma'n rhacs fath â naethon ni yn Chelmsford, ha!'

Yn wir yn Chelmsford yn y gwesty caeth, dwi'n cofio deffro ganol nos a Richard (ein sacsaffonydd sy'n digwydd bod yn ddall) wedi codi i fynd i'r tŷ bach ac yn meddwl ei fod o adra. Fe agorodd y drws i'r toiled, yn ei feddwl o, ac fe glywn sŵn rhuglan hangars dros y lle i gyd. Roedd Rich druan ar goll yn y wardrob ac ar ei ffordd i Narnia! Chafodd o ddim damwain Nymbar Wan chwaith achos gawson ni afael ynddo mewn pryd, diolch byth. Ond stori arall 'di stori'r Moniars ac fe ddown yn ôl at y cyfnod hwnnw yn nes ymlaen.

Ymfudo i Iwerddon oedd y syniad yn fy mhen ar ôl trychineb Keith Best a'i blaid afiach. Y fath sarhad ar Fôn

Mam Cymru a gwarth enbyd. Yr un pryd fe ddarllenais am hanes Michael D. Jones yn gweld ei Gymru yn 1865 yn mynd dan draed, ac am ymfudo o Lanuwchllyn i sefydlu Gwladfa newydd ym Mhatagonia. Roeddwn yn teimlo'r un fath ag o yn union, a dwi'n dal i deimlo felly gyda Thori arall yn awr yn Aelod Seneddol dros Fôn sef Virginia Ann Crosbie.

Gyda'r holl deimladau hyn ynglŷn ag ymfudo yn corddi yn fy meddwl fe ddechreuais sgwennu'r gân 'Ni Welaf yr Haf'. Fe ddychmygais fy hun yn ffarmwr ifanc yn ardal y Bala yn mentro ymfudo i Batagonia gyda Michael D. Jones ac eraill o'r un ardal, a hwylio yno ar daith erchyll o hir o borthladd Lerpwl. Rhoddais fy hun yn sgidia gŵr ifanc yr un oed â mi ar y pryd yn meddwl mentro ar y fath antur beryglus i wlad oedd hanner ffordd rownd y byd. Am gambl! Gwerthu'r ffarm a mynd i fan nad oedd erioed wedi hyd yn oed ei weld, 'mond cymryd gair Michael D. Jones ac eraill am y lle.

Byddai'r fordaith yn siŵr o fod yn enbydus ac yn erchyll mewn rhai mannau, a pheryglon di-ri ar y daith, ac yn wir ar ôl cyrraedd. Ond mae'n rhaid bod y gŵr ifanc o ardal Llanuwchllyn wedi teimlo i'r byw, fel finnau yn ein dyddiau ni, fod y moch yn sathru'r winllan ac yn difetha ein treftadaeth. Rwy'n dal i deimlo yn union yr un fath ag o heddiw.

Dechreua'r gân gyda'r darlun o amaethwr ifanc efo'i deulu oedd yn weddill ar dir yr Ariannin bell yn edrych allan ar y môr, 'a gwaed y gorwel pell', gan iddo golli ei wraig a rhai o'r plant yn y fenter fawr. 'Cofiaf am hen amser a dyddiau tipyn gwell,' yn rhyw hanner edifar cychwyn ar y fath 'antur ffôl'. Rhan o'r rheswm iddo adael ei ddyddyn oedd ei fod o'n cael trafferthion mawr, fel y Gwyddelod ar y pryd, gyda thirfeddiannwr didrugaredd o Loegr yn trin y tenantiaid truan yn andros o galed. Ond yn anffodus doedd y gŵr ifanc ddim wedi sylweddoli pa mor beryglus ac mor bell fyddai'r fordaith.

Yn stiwdios Cwmni HTV ym Mhontcanna, Caerdydd, yr oedd y gystadleuaeth. Nest oedd yn canu'r gân a Nia a minnau yn canu'r lleisiau cefndir. Roedd Nia hefyd yn chwarae'r ffidil yn y gân. Roedd diwrnod y cystadlu yn gyffrous a ninnau wedi teithio o bellteroedd y gogledd. Doeddan ni'n nabod fawr o neb, a'r cystadleuwyr a'r cyfansoddwyr eraill yn ddieithr iawn i mi. Er dwi'n siŵr fod Nia, Nest a Sioned yn nabod rhywun ar y rhaglen gan eu bod wedi cystadlu a chanu gymaint yn Eisteddfod yr Urdd a'r Eisteddfod Genedlaethol.

Cofiaf mai'r ddiweddar Gwyn Dob oedd un o'r beirniaid, boi clên o'r gogledd o ardal 'Dob' yn Nhregarth ger Bethesda. Hefyd fe gofiaf fod Iolo Jones yn un o'r beirniaid. Fo oedd yn chwarae'r ffidil i Ar Log.

Roedd hi'n dipyn o fenter i Nia a finna i gystadlu gan fod Nia'n disgwyl plentyn erbyn tua mis Awst. Tri mis oedd wedi pasio ers i ni gael gwybod ein bod ni'n disgwyl ein plentyn cyntaf. Gan ein bod yn meddwl na fyddem yn ennill, doedd dim problem, a ninnau mor ifanc yn gofidio dim am beryglon y beichiogrwydd cyntaf. Byddwn yn pryfocio Meilyr Wyn, ein mab hynaf, yn aml gan ei atgoffa iddo gystadlu yng nghystadleuaeth Cân i Gymru cyn ei eni hyd yn oed. Y mae wedi cystadlu lawer tro yn y gystadleuaeth fel mae'n digwydd ond heb ennill hyd yma.

Yn wir, credaf ei fod yn sgrifennu caneuon gwell o lawer na'm rhai i ac o ansawdd cerddorol dyfnach. Ond ddim mor 'catchy' efallai.

Yr unig un a gofiaf o blith y cystadleuwyr yw Islwyn Evans, sef sylfaenydd Ysgol Gerdd Ceredigion a cherddor penigamp. Ond wyddwn i 'mo hynny ar y pryd neu mi fyswn i wedi bod yn fwy nerfus nag yr oeddwn i hyd yn oed!

Fe wnaethon ni ganu'n reit dda, o'n i'n meddwl, o ystyried bod y rhaglen yn fyw a'r recordio yn digwydd ar fyrder heb fawr o ymarfer. Beth bynnag i chi, fe wnaethom ennill, a phawb wrth eu bodd. Dwi'n meddwl bod yna dlws am ennill ond cafodd Nest gadw hwnnw os dwi'n cofio yn iawn. Dwi'n cofio bod rhyw wobr ariannol am ennill, digon i dalu am westy a phres petrol i'n cael ni adra i Fôn, siŵr o fod. Gyda llaw, rhaid oedd cael enw i'r band ar gyfer y gystadleuaeth ac fe wnaethom gytuno ar Y Felin Wen gan ein bod o Fôn, a chymaint o felinau yn dal o gwmpas ein bröydd.

Cawsom osod y trac a recordiwyd o'r gân ar LP gyntaf y grŵp newydd Pererin. Roedd Einion, Nest a minnau yn cydweithio arni, gan mai'r gân hon 'Ni Welaf yr Haf' a agorodd y drws i ni fel grŵp i gael cynhyrchu albwm hir. Roedd Dyfrig Thomas, perchennog Recordiau Gwerin, wedi clywed y gystadleuaeth ac yn hoffi'r gân. Gofynnodd a fyddai gennym ddiddordeb yn ei recordio ar ddisg feinyl. Stori arall ydi honno, ac fe geir y gân 'Ni Welaf yr Haf" ar albwm gyntaf Pererin sef *Haul ar yr Eira*.

Reit, un peth oedd ennill; rhaid hefyd oedd i ni gymryd y cam nesaf, sef mynd i Killarney yn Iwerddon i Ŵyl Ban

Geltaidd 1979 i gynrychioli Cymru yng nghystadleuaeth y gwledydd Celtaidd oll, Cernyw, Llydaw, Ynys Manaw, Iwerddon, yr Alban – a Chymru wrth gwrs.

Mae hanes mynd i Killarney yn stori a hanner, antur na wnawn ni yn sicr byth mo'i hanghofio. Oherwydd na fedren ni fynd i'r ŵyl ar y dydd Llun roedd yn rhaid teithio mewn dau hen Volvo ac ar y fferi i Dun Laoghaire ar gyrion Dulyn. Roedd Gerallt, gŵr Nest, a minnau yn 'Volvo fanatics' mawr gan fod garej enwog Ty'n Lôn Volvo yn fy mhentref genedigol ers y 60au yn cael ei rhedeg gan Mr Carter a'i deulu. Mae'r modurdy'n dal yno hyd heddiw.

Yn anffodus roeddem yn hoff iawn o'r hen fodelau crynion, yr Amazons, a oedd yn llyncu petrol. A hefyd y rhai sgwâr cynnar, y '144s' a oedd fel tanciau o gryf. Ymfalchïai'r cwmni mewn cynhyrchu ceir saff iawn ac roedd bympyrs y '144s' a'r '244s' nes ymlaen fel *battering rams* o'r oesoedd canol. Rhad arnoch os oeddech chi'n digwydd taro Volvo o'r tu ôl neu'r tu blaen. Fe fuasech yn bownsio i ffwrdd, yn saff i chi. Ond cyn belled ag yr oedd tanwydd yn y cwestiwn, llyncwrs oedden nhw.

Bu dipyn o drafod gan fod Nia yn feichiog ers chwe mis erbyn hynny. Ac yn gam neu'n gymwys fe benderfynwyd ei bod hi'n dod i Iwerddon, doed a ddelo. Fel y dwedais eisoes, doeddem yn bendant ddim yn ymwybodol o beryglon cael y babi cyntaf a'r anawsterau a allai fod ynghlwm wrth hynny.

'Mae anwybodaeth yn wynfyd' meddai un dywediad craff.

Doedd gennym, wrth gwrs, ddim syniad pa mor bell fyddai'r daith o'r porthladd ger Dulyn i Killarney. Dyma ganfod ei fod yn 192 o filltiroedd ac y cymerai dros dair awr a hanner i deithio yno heb stop. Dipyn o daith i unrhyw un, heb sôn am ferch a oedd chwe mis yn feichiog. Ar ben hynny roedd Nia druan wedi dechrau pesychu'n ddrwg. A chan fod y doctor adref wedi gwrthod rhoi tabledi gwrth-fiotig iddi am ei bod yn feichiog, rhaid iddi yn anffodus oedd dioddef y peswch.

Dyma gyrraedd y gwesty a drefnwyd i ni gan Mr Pan Geltaidd ei hun, Tegwyn Roberts. Roedd Tegs wedi trefnu popeth i ni yn ôl ei arfer. Ond yr oedd yna amodau. Rhaid oedd cystadlu yn y gystadleuaeth grŵp gwerin hefyd yn ogystal â pherfformio yn y Noson Gymreig ar y nos Wener. A pherfformio wrth gwrs yn y brif gystadleuaeth, y Gân Geltaidd. Cytunwyd ar hynny.

Cofiaf yn iawn eistedd am frecwast y bore cyntaf wedi i ni gyrraedd a chael bara Gwyddelig am y tro cyntaf, bara soda blasus iawn, digon i'n llenwi am weddill y diwrnod. Fel y crybwyllwyd eisoes, roedd y croeso Gwyddelig i'r Cymry yn ddiguro. Fe ŵyr y Gwyddelod nad oes yna unrhyw ddymuniad ynom i'w sathru nac i'w sarhau. Gwyddant hefyd fod yna ddealltwriaeth ddistaw rhwng y Celtiaid o Ynysoedd Prydain mewn cyd-ddyheu am y rhyddid a fu ar goll yng Nghymru am ganrifoedd. Y rhyddid rhannol hwnnw a enillwyd gan y Gwyddelod ar gost mor enfawr dros flynyddoedd eu hanes.

Gwraig gref a thrwsiadus oedd yn cadw'r gwesty bach. Roedd ganddi ddiddordeb gwirioneddol ynom fel pobol ifanc. Ac fel Cymry, ac er ei chyfeillgarwch a'i chroeso cynnes a diffuant, fe deimlais fod ynddi wytnwch Gwyddelig ac na fyddai'n cymryd unrhyw nonsens gan neb, ac y gallai ddelio ag unrhyw garidŷms a ddeuai i'w gwesty o unrhyw wlad, yn cynnwys ei gwlad ei hun.

Roedd merch ifanc yn gweini yn y gwesty, a honno'n dlodaidd iawn yr olwg; yn lân ond ychydig yn ddi-raen, ond yn hynod garedig fel y canfu Nia a minnau yn nes ymlaen. Doedd budd-daliadau hael ddim wedi dod i'r wlad werdd bryd hynny, a'r hen arian Gwyddelig oedd yn cael ei ddefnyddio yn 1979. Ni ddaeth yr Euro, na chyfoeth newydd, yn llwyr chwaith tan 1999 a 2002 i'r Gwyddelod.

Roedd yn beth ffodus fod y Gystadleuaeth Cân Geltaidd (tebyg i'r Eurovision ond i'r gwledydd Celtaidd yn unig) yn cael ei chynnal y diwrnod ar ôl i ni gyrraedd, sef y dydd Mercher, gan nad oedd Nia ond bron iawn yn ddigon da i gymryd rhan. Fe wnaethom ganu ein gorau mewn neuadd yng nghanol y dref a dod yn ail.

Byddaf yn rhyw deimlo wrth edrych yn ôl fy mod wedi sgwennu cân a oedd yn rhy hir i'r gystadleuaeth. Roeddwn wedi ceisio cyfleu'r fordaith o Lerpwl i'r Wladfa ar ffurf lleisiol gyda mwyafrif y grŵp yn ymuno yn y canu. Fe weithiodd yn dda ac yn enwedig ar y diwedd lle roedd ailadrodd 'o'r Hafod ar y mynydd'. Ond wrth edrych yn ôl efallai y byddai wedi bod yn well gadael y darn arbrofol hwn allan. Ond pwy a ŵyr, ynde? Dwi'n siŵr fod y gân dros bum munud o hyd a bu cyfansoddi caneuon rhy hir yn anfantais i mi ar ôl hyn hefyd.

Fe ganodd Nest yn raenus a phawb wedi gwneud ei ran yn dda ac yn broffesiynol. A theimlwn yn eitha balch o'r criw gan wybod ein bod wedi gwneud ein gorau glas dros Gymru'r diwrnod hwnnw.

Y diwrnod canlynol roedd gennym bnawn rhydd. A

chan ei fod yn ddiwrnod braf fe es i a Nia ar un o'r troliau a cheffyl a oedd yn trotian o gwmpas y lle. Yn bennaf byddent yn mynd â thwristiaid o gwmpas y llynnoedd sy'n amgylchynu'r dref. I mewn i'r drol â ni, a'r dreifar yn taenu siôl gynnes dros Nia gan ei fod yn gweld yn glir ei bod hi'n feichiog. Gwnaethom fwynhau'r hwyl a'r golygfeydd gwych o gwmpas y llynnoedd. Ond rwy'n amau bod yr holl flew ceffyl oedd ar y siôl wedi gwneud pesychiadau Nia yn llawer gwaeth.

Fe aeth pethau o ddrwg i waeth y diwrnod wedyn. A chan fod gwraig y gwesty mor ofalus ohonom, fe drefnodd i Nia gael gweld doctor yn syth yn y bore. Cawsom wybod fod ganddi hi pliwrisi drwg iawn ac y byddai'n rhaid cymryd y risg o roi tabledi gwrth-fiotig iddi er gwaetha'i beichiogrwydd. Felly bu Nia a'r plentyn bach yn ei chroth yn y gwely am weddill yr ymweliad.

Roedd yn rhaid i mi gadw fy nghytundeb i berfformio yn y Noson Gymreig ar ddiwedd yr ŵyl. Ac yn wir, fe wnaeth y ferch ifanc dlodaidd yr olwg ond cyfoethog mewn caredigrwydd ofalu am Nia tra roeddwn i'n perfformio efo'r grŵp Y Felin Wen mewn neuadd yn y dref.

I ffwrdd â ni am adref y bore wedyn yn ein fflyd o Volvos hen, ac yna yn saff ar y cwch i Fôn. Ymhen tri mis ac ychydig ddyddiau wedyn fe anwyd Meilyr Wyn yn fab bach holliach i ni'n dau yn Ysbyty Dewi Sant, Bangor. Popeth yn dda sy'n diweddu'n dda!

A'r diwrnod yr es i o'r ysbyty ar y 6ed o Awst y flwyddyn honno draw i'r Eisteddfod Genedlaethol derbyniais newyddion da ychwanegol. Roedd drysau eraill

newydd agor i mi o ganlyniad i'n perfformiad yng Nghân
i Gymru ac yn yr Ŵyl Ban Geltaidd. Ond mwy am hynny
yn y bennod nesaf.

Derbyn Tlws Cân i Gymru 1979

3.
Y Drws

Do, fe gipiaist fy nghalon fel y gwynt
Yn codi deilen grin yn esmwyth ar ei hynt,
Agoraist y drws a dod gyda mi,
Agoraist y drws a dod i mewn i 'mywyd i.

Cerddaist, cerddaist i 'mywyd i,
Do, fe gerddaist, cerddaist i 'mywyd i,
Drwy ddrws fy nghalon fe gerddaist ti,
Cerddaist i 'mywyd i.

Yn y distawrwydd i'm ystafell wag fe ddaethost yn wir
Ac fe gynnaist dân ar aelwyd a fu mor oer mor hir,
Daethom at ein gilydd drwy'r mieri a'r drain,
Clywsom lais y durtur er gwaethaf sŵn y brain.

Cerddaist, cerddaist i 'mywyd i,
Do, fe gerddaist, cerddaist i 'mywyd i,
Drwy ddrws fy nghalon fe gerddaist ti,
Cerddaist i 'mywyd i.

Pererin yn perfformio yn Noson Wobrwyo Sgrech

Un o grwpiau roc cyntaf Cymru oedd yr Atgyfodiad. Roedd yna ddigon o grwpiau pop ond daeth yr Atgyfodiad i fodolaeth cyn bodolaeth Edward H Dafis hyd yn oed. A gwnaethant berfformio yn aml gyda'r grŵp roc hwnnw ar lwyfannau o'r de i'r gogledd gan gynnwys yr enwog Bafiliwn Corwen. Ond roedd yna rywbeth gwahanol iawn yn perthyn i'r band hwn, yn hollol groes i be oedd yn digwydd yn y Gymru Gymraeg bryd hynny, sef arddel y neges Gristnogol.

Ar y pryd roedd pobl ifanc yn yr ardaloedd Cymraeg yn cilio oddi wrth y capeli a'u dylanwad. Ond nid dyma oedd neges yr Atgyfodiad. Roedd chwilio am ystyr bywyd yn rhan annatod o ganu pop-roc a oedd wedi dylanwadu arna'i fel sylfaenydd y band. Fe wnaeth Jeremy Spencer yn 1971 adael y grŵp Fleetwood Mac yn ddirybudd i ymuno â'r mudiad Cristnogol 'Jesus People' yn yr Unol Daleithiau. Roedd Eric Clapton, fy arwr cerddorol mwyaf, wedi creu band newydd o'r enw Blind Faith yn yr un cyfnod ac yn canu cân a wnaeth argraff fawr arnom fel ieuenctid hipïaidd, sef 'Presence of the Lord'. Ynddi ceir y geiriau hyn:

'I have finally found a way to live
In the presence of the Lord.'

Ac wedi i'r Beatles chwalu yn 1969, fe gyfansoddodd ac fe berfformiodd George Harrison yn fuan wedyn y gân hynod 'My Sweet Lord'. Roeddan ni'n morio canu hon am ei bod hi'n dod â chysur a gobaith ysbrydol i ni.

Ond trai, nid llanw, oedd yn y Gymru Gymraeg draddodiadol. Roedd pobl ifanc yn cefnu ar y capeli ac yn gwrthryfela yn erbyn yr hyn a welent fel culni caeth, gan weld rhagrith a diffyg dim byd deinamig yn y pregethu ac ati. Roedd gen i gydymdeimlad llwyr â hynny wrth gwrs, ond doedd Crist ei hun ddim wedi newid dim; crefydd y dydd oedd wedi colli gafael ynddo.

Gwelwyd llawer o bobl ifanc o'r byd pop roc rhyngwladol yn ymwneud â'u hymchwil ysbrydol am y tro cyntaf: rhai fel Barry McGuire a ganodd mor gynnar â'r 6oau hyd yn oed am 'Eve of Destruction'. Roedd hon yn gân broffwydol am berygl arfau niwclear ac am ddifetha'r amgylchfyd. Ef yn fwy na neb oedd arweinydd y mudiad 'Jesus People' yn America ac Ewrop.

Bu cychwyn band roc Cristnogol ei neges yn anodd o

ystyried y gwrthdaro y soniais amdano yng nghyd-destun Cymru. Er hynny roedd llawer o gerddorion wedi dechrau cyfansoddi caneuon Cristnogol 'New Wave', cyfansoddwyr fel Delwyn Siôn o'r grŵp Hergest a ysgrifennodd glasur o'r enw 'Trosom'. Am gân! Ond ni chafodd ei chwarae lawer ar y radio er ei bod yn un o'i ganeuon gorau.

Cofiaf fynd efo Delwyn i St Alban's i recordio'r gân hon ar gyfer EP o'r un enw. Profiad newydd i ni oedd cael recordio mewn stiwdio go iawn er ein bod wedi gorfod mynd braidd yn bell i wneud hynny. Un arall wych ganddo oedd y gân ddirdynnol 'Gwaed', cân hollol arbennig.

Yn y cyfnod hwn cefais wahoddiad i fod yn aelod dros-dro efo Hergest, grŵp llawer mwy acwstig na'r Atgyfodiad. Roedd Derec Brown wedi gadael y band a bûm i efo nhw yn ei le am tua blwyddyn dda. Profiad da oedd perfformio gyda nhw; roedd llawer iawn o bwyslais ar y canu a'r harmoneiddio a chreu sŵn acwstig mwy tyner. Cefais y profiad gwych o recordio albwm feinyl gyda nhw, sef *Glanceri*. Mae gen i gân neu ddwy ar yr albwm hwnnw. Arhosodd dylanwad y profiad da efo Hergest gyda mi hyd heddiw. Rwy'n dotio ar gyfansoddi yn y dull acwstig. Fe aeth aelodau eraill yr Atgyfodiad ymlaen i sefydlu'r grŵp Brân efo Nest Llywelyn fel prif leisydd.

Felly o'r grŵp Saesneg gwreiddiol The Resurrection, roedd Einion Williams a minnau a Charlie Goodall ar ôl. Cawsom hyd i Aneurin Owen (ffliwt ac allweddellau) a chael help Owen 'Cob' ac Elfed ap Gomer. Ac o ludw yr Atgyfodiad cododd ffenics ar ffurf grŵp newydd o'r enw Pererin. Fe wnaeth Pererin recordio pedair LP: *Haul ar yr*

Eira, Teithgan, Tirion Dir ac *Yng Ngolau Dydd* (casét, a CD yn nes ymlaen).

Os oes gennych gopïau feinyl gwreiddiol o'r tair LP gyntaf, yna prynwch CD yn eu lle a medrwch werthu'r recordiau feinyl, os mewn cyflwr da, am hyd at £250 yr un. Mae'r rhain yn recordiau casgladwy iawn yn Ewrop a thu hwnt.

Cofiaf yn iawn yr union ddiwrnod y cawsom gytundeb recordio gan Recordiau Gwerin o Lanelli. Roeddem wedi cynnig ein caneuon i Sain ond fe'n gwrthodwyd am fod y gerddoriaeth yn rhy 'Prog', sef yn rhy flaengar gyfoes. Colled i Sain, 'swn i'n deud. Ha!

Awst y 6ed 1979 oedd hi, y diwrnod y ganwyd mab i Nia Wyn a minnau sef Meilyr Wyn yn Ysbyty Dewi Sant Bangor. Cerddais ar y cymylau'r diwrnod hwnnw. Mae bod yn dad am y tro cyntaf yn ufflon o fraint ac yn deimlad gwefreiddiol. Ac ar y cymylau hynny y glaniais ar dir yr Eisteddfod Genedlaethol yn nhre annwyl Caernarfon. Cerddais o gwmpas yn gwenu fel giât a dod at ryw stondin diddorol o'r enw Siop y Werin. Ac oddi fewn roedd dyn bach clên o'r enw Dyfrig Thomas, hwntw go iawn.

Roedd Dyfrig wedi clywed ein cân ar gyfer Cân i Gymru sef 'Ni Welaf yr Haf' yn cael ei chanu gan Nest Llywelyn, mam Elin Fflur wrth gwrs. Roedd Dyfrig yn hoff iawn o'r gân ac am i ni recordio LP efo'r grŵp Pererin. Ac os byddai'n gwerthu'n dda yna fe fyddai posibilrwydd o recordio un arall, meddai. Wow! Roedd hyn fel gwireddu breuddwyd, a bellach roeddwn yn uwch ar y cymylau nag y bûm erioed. Am ddigwyddiadau hapus! A'r rheiny i gyd mewn un diwrnod!

Bûm yn disgwyl am hyn ar hyd fy ieuenctid; cael recordio albwm LP go iawn. A chwarae teg i Dyfrig Thomas, cawsom ganddo'r rhyddid llwyr efo'r arddull, y cynnwys a'r gwaith celf. Cyfle hollol arbennig a gwych. O'n i'n methu disgwyl i gael deud wrth y band a rhannu'r holl newyddion da yma â phawb. Rydw i wedi dewis un gân wreiddiol sy'n ffefryn o'r cyfnod arbennig yma, cyfnod Pererin, sef cân oddi ar yr ail albwm *Teithgan*. Enw'r gân yw 'Y Drws'.

Ysbrydolwyd y geiriau gan y llun enwog gan yr artist William Holman Hunt, sef 'Goleuni'r Byd'. Yn y llun y mae Crist yn sefyll gyda llusern yn ei law ac yn curo ar y drws er mwyn cael mynediad i galon a bywyd person. Mae'n llun enwog a thrawiadol iawn. Ond yn y gân yma hefyd fe gychwynnais ar arferiad a ddefnyddiais yn aml ar ôl hynny, sef cyfansoddi caneuon ar ffurf cân serch ond a allai fod yn ganeuon crefyddol yr un pryd. Hynny yw, yn amwys. Gwnaeth hynny sicrhau nad oedd y caneuon hynny yn cael eu gwrthod yn llwyr am eu bod yn ganeuon Cristnogol ond yn cael eu derbyn fel caneuon serch.

Rhywun llawer gwell na fi am sgrifennu caneuon a ddaeth â hyn i amlygrwydd gyntaf fel dull o ysgrifennu geiriau crefyddol, sef yr unigryw Ann Griffiths o Ddolwar Fach:

> Wele'n sefyll rhwng y myrtwydd,
> Wrthrych teilwng o'm holl fryd,
> Ar ddeng mil y mae'n rhagori
> Ar wrthrychau penna'r byd.

Hi yw'r athrylith mewn cyfansoddi caneuon fel hyn, a elwir yn aml yn emynau. Wrth ystyried faint o bobl sy'n gwybod am 'Y Drws', rhaid cyfaddef na fu llawer o chwarae arni ar y radio. Credaf, yn anffodus, mai'r tabŵ gwrth-grefyddol oedd y rheswm am hynny, sy'n resyn, a dweud y gwir, gan mai hon yn bendant oedd un o ganeuon gorau Pererin.

Wel, dwi'n falch o gael dweud, mi werthodd *Haul ar yr Eira* yn hynod o dda. Roedd hi'n record hollol wahanol i'r arfer yn Gymraeg a gwnaethom ddarganfod nad oedd pobl Llydaw, Iwerddon, Ynys Manaw, Cernyw a'r Alban yn malio dim beth oedd y geiriau yn ei ddweud. Gwnaethant ddotio ar y miwsig prog-gwerin yma a oedd mewn gwirionedd yn arloesol yn ei gyfnod. Fe recordiwyd *Haul ar yr Eira* ym meudai Gwernafalau yn Llandwrog

Fe gadwodd Dyfrig Thomas at ei air ac fe gafwyd y cyfle i recordio'r ail LP sef *Teithgan*. A'r tro hwn, da fu cael cymorth ffrind agos o Langefni, Anthony Puw a oedd yn beiriannydd sain i'r BBC yn Llundain ac yn deall ei bethau i'r dim. Defnyddiodd bob cyfle i fynd â'r recordiadau o stiwdio newydd Sain yn Llanwnda adra efo fo i Lundain i gymysgu'r albwm yn adeilad y BBC pan nad oedd neb yn defnyddio'r stiwdio. Chaiff o ddim mo'i sacio bellach am wneud hynny yn rhad ac am ddim i ni 'cyrtesi of ddy BBC'. Ac oherwydd i Anthony dreulio amser hir yn cynhyrchu a chymysgu, mae'r sŵn a'r ansawdd sain ar *Teithgan* yn rhagori llawer ar y recordiad cyntaf. O'r LP hon y daw cân 'Y Drws'. Does dim amheuaeth fod gitâr drydan a solos Charlie Goodall yn dod â'r gân yn fyw ac yn mynd â hi i lefel arall.

Yn ymuno hefo ni i recordio *Teithgan* roedd Graham Land ar y drymiau a Bev Jones ar y bas, yn ogystal wrth gwrs â'r hen ffyddloniaid (mynegiad o anwyldeb, ha!) Einion Williams (bodhran, congas ac offer taro), Aneurin Owen (ffliwt, allweddellau a phibau) ac aelod newydd, Llio Haf (allweddellau a ffliwt hefyd, a chanu wrth gwrs).

Ddechrau'r wythdegau, sef 1981, fe wnaethom ni, Pererin, o bawb, ennill gwobr grŵp gorau'r flwyddyn a pherfformio rhai o'n caneuon mwyaf bywiog yn y Pafiliwn Mawr yng Nghorwen yn noson wobrwyo y cylchgrawn *Sgrech*. Y cylchgrawn poblogaidd hwnnw oedd yn trefnu'r noson ynghyd â'r pleidleisio ar gyfer y gwahanol gategorïau. Glyn Tomos oedd y brêns y tu ôl i'r cyfan ac yn trefnu'n eithriadol fanwl ac effeithiol. Profiad bythgofiadwy fu hwn o flaen cymaint o bobl.

Diolch i'r gwerthiant rhyngwladol yn fwy na'r gwerthiant yma yng Nghymru ei hun fe gawsom ein gwahodd i chwarae yn 1982 yng Ngŵyl Fawr Ryng-Geltaidd Lorient yn Llydaw. Dyma gyfle gwerth ei gael ac ychydig bach yn well na chanu i ffermwyr ifanc meddw mewn llefydd fel Llanbed (sori Llanbed!) Mae gen i gof clir iawn o ganu mewn porthladd anferth yn Lorient o'r enw Port de Pêche. Yno roedd cannoedd yn gwrando arnom ni ac yn gwrthod gadael i ni orffen. Roedd y trefnydd druan yn cael amser caled gan y dorf am eu bod nhw eisiau i ni barhau i ganu. A'r dorf a orfu!

Yng nghanol y dorf o ddieithriaid gwelais wyneb bach cyfeillgar yr oeddwn yn ei adnabod. Bachgen ifanc oedd hwn a oedd yn chwarae i dîm pêl-droed Cymru yn ystod yr ŵyl. Neb llai nag Osian Roberts o Fodffordd, Ynys Môn – aelod o griw hyfforddi tîm pêl-droed cenedlaethol Cymru yn ystod eu hoes aur ddiweddar.

Cofiaf i ni ganu cân 'Y Drws' a'r dorf yn gwallgofi o glywed y solo trydanol gan Charlie. Gwefr go iawn mewn gŵyl wych yn yr awyr agored. Rhan bwysig o'r llwyddiant a deud y gwir oedd bod gennym ffrind gyda ni a oedd yn gallu siarad Ffrangeg yn rhugl. Roedd ei gyfieithu mor dda fel bod y gynulleidfa yn ein dwylo cyn i ni ganu'r un nodyn. Diolch Eirwyn Vaughan! Buom yn Lorient lawer tro wedyn yn canu ond doedd hi ddim cystal heb y cyfieithydd rhugl a doniol.

Yn dilyn y perfformiadau yma cawsom wahoddiad i fynd ymlaen i Galicia i berfformio mewn gŵyl arall debyg. Roedd hanner y band yn awyddus iawn i fynd ond yr hanner arall yn methu ymrwymo oherwydd dyletswyddau eraill. Collwyd cyfle euraid y tro hwnnw, gyda'r posibilrwydd o fynd yn broffesiynol ac ni ddaeth y cyfle hwnnw fyth wedyn.

Un sylwebydd a fyddai'n rhoi adolygiadau trychinebus i gynnyrch Pererin oedd gŵr o Sir Benfro a adolygai recordiau newydd i'r *Cymro* ar y pryd, Hefin Wyn. Doedd o yn bendant ddim yn hoffi'r arddull prog-gwerin. Yn wir fe ddisgrifiai lawer o'n cerddoriaeth fel 'caneuon diflas *pruddglwyfus.*' Rwyf wedi casáu'r gair hwnnw fyth ers hynny. Dwedodd fod cân 'Y Drws' yn 'bruddglwyfus'.

Roedd yr ergyd hon yn un drom ac yn brifo gan fod cymaint yn darllen Y *Cymro*, a ninnau yn griw mor ifanc ac yn teimlo petha fel hyn i'r byw. Roeddwn wedi ymdynghedu y gwnawn ddiolch i Mr Wyn ryw ddiwrnod am fod mor ffeind efo band newydd arbrofol a oedd yn trio mynd â cherddoriaeth Gymraeg i gyfeiriad a lefel wahanol. A dyma fi'n cael y cyfle rŵan hyn yn y llyfr hwn: 'Thanks a bunch,' chwadal hogia Bangor erstalwm.

Wel, mae'n debyg mai ni fel grŵp Pererin gaiff y chwerthiniad olaf gan fod ein cynnyrch yn dal i werthu ledled Ewrop a'r byd. Mae amryw o wasgiadau newydd o'r feinyl wedi eu cynhyrchu gan gwmnïau o Gatalonia a'r Eidal a phob un o'r LPs yn awr ar gael fel CDs. Dodwch Pererin i mewn i Google i chwi gael gweld be ddaw i fyny. Byddwch yn darllen am hir! Fe obeithiwn hefyd yn y dyfodol agos gael casgliad o holl recordiadau Pererin wedi eu cynnwys mewn bocs arbennig, gan fod galw taer am gasgliad o'r fath.

Agoraist y drws a dod gyda mi
Agoraist y drws a dod mewn i 'mywyd i.

Geiriau yw'r rhain a allai fod yn eiriau o serch neu yn eiriau am dröedigaeth – neu'r ddau, fel yng ngwaith Ann Griffiths, er y dylwn bwysleisio nad ydw i'n eu cymharu â'i gwaith rhagorol hi! A do, fe agorodd ddrws o gyfle i ninnau hefyd. Ar ôl *Teithgan* cawsom recordio *Tirion Dir* yn Stiwdio'r Felin yn y Felinheli gyda'r gitarydd enwog Len Jones, a elwid gan lawer yn Len Hendrix gan ei fod yn gallu chwarae stwff Jimi mor dda.

Ac yn olaf daeth cyfle i recordio'r bedwaredd LP *Yng Ngolau Dydd* yn Stiwdio Ofn gyda'r rhyfeddol Gorwel Owen a aeth ymlaen i recordio a chynhyrchu cerddoriaeth y Super Furry Animals. Cwmni Sain oedd yn gyfrifol am ryddhau hon. Yr oeddynt wedi callio ac yn gweld potensial i Pererin o'r diwedd.

Er gwaetha'r rhagfarn gwrth-grefyddol, fe wnaethom lwyddo drwy ddal ati a dyfalbarhau gan brofi fod POB rhagfarn yn annheg ac yn anghywir a bod dim hawl casáu neb am eu crefydd, nac am ddim byd arall.

Diolch fod y drws wedi agor a'n bod ni'n gallu edrych yn ôl efo gwên fawr ar yr amser bythgofiadwy a gawsom o berfformio cân 'Y Drws' a chaneuon eraill gyda Pererin. A chael ein gwahodd i ail-ffurfio ddeng mlynedd ar hugain yn ddiweddarach i berfformio yn y Babell Werin yn Eisteddfod Genedlaethol Cymru ym Modedern, Ynys Môn yn 2017. Gig dda oedd hi hefyd.

Un arall yn y frwydr honno oedd yr annwyl Arfon Jones, bachgen y cefais y bai am ei weithredoedd dewr lawer tro gan ein bod yn rhannu'r un enw. Cyfnod cyffrous oedd hwn pan oedd tân yn ein boliau fel pobol ifanc yn gweithredu dros Gymru drwy frwydro dros gadw iaith ein cyndadau. A phwy feddyliwch oedd un o weithwyr brwd Mudiad Ieuenctid yr Annibynwyr yn ogystal? Wel ia siŵr, yr un Arfon Jones ei hun.

Braint oedd cael cydweithio â'r bobol eofn yma a oedd yn fodlon dioddef carchar am gyfnodau hir am eu safiad diflino dros 'Dafod y Ddraig'. Diolch amdanynt ynde. Ond wni ddim ble ar y ddaear aeth y tân hwnnw yn ein dyddiau ni. Does fawr o'r ifanc o'u cymharu â chyfnod y 70au a'r 80au yn fodlon brwydro yn yr un modd.

Y mae rhyw deimlad heddiw fod 'y frwydr wedi ei hennill'. Ond mae hynny ymhell o fod yn wir. Mae'n rhaid brwydro'r un brwydrau dro ar ôl tro yn anffodus. Rydan ni angen dipyn o dân Angharad Tomos, a ddisgrifiais droeon fel Buddug ein cyfnod. Ac mae angen rhyw Arfon

Jôs arall i frwydro dros gynnal y Winllan y soniai Saunders Lewis gymaint amdani. Ac o adnabod ac edmygu'r ddau, mae arnom angen y CREDU hwnnw â'u cadwodd hwythau rhag plygu na chael eu torri gan eu carcharwyr.

"Haul ar yr Eira"

pererin

SYWM 215

O'r chwith i'r dde — Charli Goodall, Arfon Wyn ab Eurig, Einion Williams ac Aneurin Owen.

Y Pererin gwreiddiol

4.
Credaf

Credaf fod ei eiriau Ef yn wir,
Credaf, er i mi amau hyn mor hir,
Credaf yn y Tri yn Un a'r Un yn Dri,
Dyma'r sylfaen, yr unig obaith i ni

Credaf, Credaf,
Credaf, Credaf,
Diolchaf am y nerth i gredu y gwir.

Credaf yn yr hyn ni ellir ei weld,
Credaf y newyddion da, y gellir ei glywed,
Credaf yn yr Ysbryd sy'n bywhau,
Credaf yn y Brenin sy'n dewis trugarhau.

Credaf, Credaf,
Credaf, Credaf,
Diolchaf am y gallu i gredu y gwir.

Credaf yn y Dyn sydd hefyd yn Dduw,
Credaf iddo godi o farw yn fyw,
Credaf y gall yntau gyfodi rhai fel ni,
Credaf yn y ffordd a agorodd ar Galfarî.

Credaf, Credaf,
Credaf, Credaf,
Diolchaf am y gras i gredu y gwir.

Byddaf bob amser yn ddiolchgar i rai fel Gorwel Owen o Stiwdio Ofn, Geraint Jarman a Gruff Rhys am eu cefnogaeth i Pererin a'r hyn roeddan ni'n trio'i wneud yn gerddorol. 'Gwerin-roc-prog-seicedelic' oedd disgrifiad gan un adolygydd yng Nghatalonia.

Yn ystod y gwaith o recordio'r ail albwm yn Sain, cefais alwad gan ddyn clên o HTV sef David Meredith. Ef oedd Swyddog Cysylltiadau Cyhoeddus y cwmni. Dywedodd fod y Pab o bawb yn ymweld â Chymru ym Mehefin 1982. Ro'n i'n meddwl i ddechrau mai tynnu coes oedd o. Ond yn wir, yr oedd y Pab John Paul II ar ei ffordd yma. Ef oedd y Pab cyntaf erioed i ymweld â'n gwlad. Ac yng Nghaeau Pontcanna yng Nghaerdydd fe ddywedodd y geiriau hyn yn Gymraeg:

'Bendith Duw arnoch!'

Wel, roedd HTV eisiau cân Gymraeg gyfoes a fyddai'n addas ar gyfer yr ymweliad hanesyddol, ac wedi clywed o rywle fy mod i'n gyfansoddwr cyfoes 'lled grefyddol'. Gwahoddwyd fi felly i sgwennu cân ar gyfer y digwyddiad hanesyddol. Braint go iawn, ynde!

Meddyliais be fysa'n addas ar gyfer cân o'r fath, a chofiais am ddatganiad a welais un tro mewn hen lyfr clawr lledr o eglwys fechan ym Môn. Copi oedd hwn o ddatganiad cynnar iawn yn hanes yr Eglwys Gristnogol o'r bedwaredd ganrif, sef 'Credo Nicea', datganiad a gytunwyd ar Fehefin 19eg yn y flwyddyn 325. Mae'n ddatganiad sy'n uno'r holl eglwysi Cristnogol. Ac er nad wyf yn Babydd, ro'n i'n meddwl fod hyn yn beth da. Fe'i ceir yn Natganiad Ffurfiol y Ffydd, dogfen Yr Eglwys yng Nghymru.

Credo Nicea

Credwn yn un Duw
Y Tad hollalluog
Gwneuthurwr nef a daear
a phob peth gweledig ac anweledig.

Credwn yn un Arglwydd Iesu Grist,
Unig Fab Duw,
a genhedlwyd gan y Tad cyn yr holl oesoedd
Duw o Dduw, Llewyrch o Lewyrch,
Gwir Dduw o wir Dduw,
wedi ei genhedlu, nid wedi ei wneuthur,

yr un hanfod â'r Tad,
a thrwyddo ef y gwnaed pob peth:
yr hwn er ein mwyn ni ac er ein hiachawdwriaeth
a ddisgynnodd o'r nefoedd,
ac a wnaed yn gnawd trwy'r Ysbryd Glân
o Fair Forwyn,
ac a wnaethpwyd yn ddyn,
ac a groeshoeliwyd hefyd drosom dan Pontius Pilat.
Ddioddefodd angau ac fe'i claddwyd.
Atgyfododd y trydydd dydd yn ôl yr Ysgrythurau,
ac esgynnodd i'r Nef,
Ac y mae'n eistedd ar ddeheulaw'r Tad.
A daw drachefn mewn gogoniant
i farnu'r byw a'r meirw:
ac ar ei deyrnas ni bydd diwedd.

Credwn yn yr Ysbryd Glân,
yr Arglwydd, rhoddwr bywyd,
sy'n deillio o'r Tad a'r Mab,
yr hwn gyda'r Tad a'r Mab
a gydraddolir ac a gyd-ogoneddir,
ac a lefarodd trwy'r proffwydi.

Credwn yn un Eglwys lân gatholig ac apostolig.

Cydnabyddwn un Bedydd er maddeuant pechodau.
A disgwyliwn am atgyfodiad y meirw,
a bywyd y byd sydd i ddyfod.

Amen.

A sut ar y ddaear o'n i am fedru crynhoi'r holl ddatganiad hwn o fewn un gân gyfoes? Hynny heb iddi swnio fel y mynaich cyfriniol yn canu'n ddigyfeiliant mewn cadeirlannau mawr? Cofiais i Meic Stevens lwyddo yn wych gyda'i gân 'Galarnad' o'r albwm *Gwymon* i osod darn sylweddol o Alarnad Jeremeia o'r Beibl ar gân. Roedd yn werth rhoi cynnig arni felly, ond oedd?

Roeddwn i'n bendant eisio cyfansoddi cân fywiog a hapus gan fod yr achlysur yn un mor unigryw a hanesyddol. Roedd yna gynnwrf am fod y Pab yn mynd i gydnabod Cymru fel GWLAD ac am gyflawni ymweliad na fu ei fath erioed o'r blaen yn hanes Cymru.

Dechreuais felly ar y cyfansoddi, ac yn wir fe ddaeth y gân yn rhyfeddol o rwydd. Dyma'r broses fydda i'n ei fwynhau fwyaf yn fy mywyd, sef eistedd i lawr efo gitâr neu wrth y piano a dechrau creu rhywbeth allan o ddim. Doedd gen i ddim tiwn yn fy mhen na dim byd yn sbarduno'r dychymyg; rhaid fyddai cychwyn o'r cychwyn. A dechreuais efo'r gair allweddol, sef 'Credaf'.

Fe ddaeth y geiriau a'r alaw efo'i gilydd. Mae hynny'n medru digwydd weithiau, er yn bur anaml. Ond mae'n beth braf pan mae yn digwydd. Fe glywodd Mudiad Ieuenctid yr Annibynwyr am hyn a dweud y byddai ganddynt ddiddordeb mewn rhyddhau'r gân newydd hon fel sengl. Newydd da iawn, gan fy mod yn meddwl ei bod hi'n gân a fyddai'n cydio'n hawdd ac yn un a fyddai'n afaelgar fel feinyl sengl ar y pryd.

Fel yr oedd yn digwydd, yr oeddan ni fel cerddorion, criw ohonom, wrthi'n recordio yn Stiwdio Sain beth bynnag. Wedi cael gair efo Dafydd Iwan dyma gael amser ychwanegol i recordio 'Credaf', ynghyd â'r gân a fyddai ar ochr B, sef 'Haul yr Haf'.

Fe gawson ni andros o hwyl yn trio recordio'r gân hon mewn un noson a'i chymysgu yn syth i'w gyrru drwy'r post i'r ffatri oedd yn cynhyrchu senglau feinyl. Rhaid oedd defnyddio'r cerddorion a oedd yn digwydd bod yno ar y pryd. Roedd Graham Land y drymiwr newydd o Gaernarfon yno; Einion Williams, yr hen gyfaill ffyddlon ar y congas, y bongos ac offer taro eraill; ar y bas yno roedd Mark Cŵn o Nefyn, Pen Llŷn. Y fo oedd gitarydd bas Meic Stevens, ond chwarae teg iddo roedd o'n barod iawn i'n helpu. Sgen i ddim cof pwy oedd yn chwarae'r sacsoffon; hogyn o'r de oedd o. Rwy'n ymddiheuro'n fawr am anghofio'i enw. Henaint, mae'n rhaid.

Roeddan ni bron iawn â gorffen cymysgu ac roedd hi'n 2:30 yn y bore erbyn hynny. Roedd y gân yn swnio'n wych ond roedd yna rwbath bach o'i le efo'r rhythm. Dyma wrando am hir a bangio'n pennau yn erbyn y wal, fel petai.

Daeth Mark at y ddesg gymysgu i drio datrys y broblem. Un distaw oedd o yn y bôn ond ro'n i'n falch iawn ei fod o wedi siarad allan y noson hir honno. 'Trïwch dynnu'r drwm bas o'r mics,' meddai. A minnau'n fodlon trio rwbath i mi gael mynd adref, dyma dynnu'r drwm bas allan. Ac yn wir, roedd y cwbwl yn swnio'n hynci-dôri. Diolch i Mark, cawsom noswylio, a hyd heddiw does neb yn gwybod nad oes sŵn drwm bas ar y sengl 'Credaf'. A wnaeth neb sylwi, am wn i. Rwy mor sori am ddeud hyn rŵan, Mr Land, ond newydd ddechrau oeddat ti cofia, chwara teg i ti.

Roedd HTV a Mudiad Ieuenctid yr Annibynwyr yn

hapus efo'r recordiad. A dwi'n siŵr fod yr hen John Paul II yn hapus hefyd os cafodd ei chlywed ar ei daith i Gymru.

Fel gwnes i ddweud mewn pennod flaenorol, mae gen i le mawr i ddiolch i Hywel Gwynfryn a Jonsi. A bu'r ddau'n gyfrifol am chwarae 'Credaf' ar eu gwahanol raglenni radio. Roedd rhaglenni'r ddau yma yn llinynnau o obaith i berfformwyr a chyfansoddwyr oedd ddim yn digwydd bod yn flas y mis, fel petai. Fe chwaraeai Hywel Gwynfryn beth bynnag yr oedd o'n ei feddwl oedd yn gân dda a gafaelgar. Anelai at apelio at bobol gyffredin, y rhai oedd yn gwrando ar ei raglenni ac yn chwyddo nifer ei wrandawyr. Ni allai unrhyw gynhyrchydd ddweud 'na' wrtho am ei fod mor boblogaidd gyda'r gwrandawyr hynny.

A'r un modd yr oedd hi efo Jonsi. Denai lwythi o wrandawyr, ac yntau'n cael rhyddid i ddewis y traciau yr oedd o yn hoff ohonynt. Roedd 'Credaf', diolch byth, yn un o'r caneuon hynny oedd yn plesio'r ddau. Mewn ffordd roedd y gytgan yn anthemig ac yn hapus a hwyliog, fel bod y gynulleidfa'n gallu ei chanu efo'r band. Dyma'r math o gân sy'n mynd lawr yn dda bob amser gyda chynulleidfa Gymreig.

Cefais gig yn fuan ar ôl llwyddiant 'Credaf' yn yr Albert yng Nghaernarfon. Yno medrai cerddorion ennill pum punt yr un ar nos Iau am chwarae'n fyw. A phwy ddaeth i mewn ar y noson honno i wrando ar ein perfformiad oedd Huw Chiswell. Bydd gen i bob amser barch mawr at Huw, nid yn unig fel cyfansoddwr medrus ond hefyd fel enaid hoff cytûn, enaid clwyfus, enaid ymchwilgar. Credaf iddo gael sylfaen bywyd mewn capel ac Ysgol Sul fel finnau ac mae ôl hynny ar ei gyfansoddi. Ella mod i ond yn dychmygu hyn ond eto mi rydw i'n eitha sicr fod elfen o wirionedd yn y ddamcaniaeth. Beth bynnag, fe ddaeth ata'i ar ddiwedd y gig, chwarae teg iddo a dweud yn blaen:

'Arfon, dwi'n hoff iawn o'r gân "Credaf" yna sydd gen ti. Chwip o gân.'

Wrth gwrs, roedd hyn yn golygu llawer i mi gan fy mod i o hyd yn dioddef efo ffobia o wrthodiad tebygol. A Chiz o bawb yn hoffi cân o'n i wedi ei sgwennu a'i chyfansoddi! Bydd un sylw fel yna gan un person yr ydach chi'n ei barchu yn werth mwy na llond neuadd o dorf yn clapio a gweiddi dros y lle. Helpodd hyn fi i gynnwys 'Credaf' ym mhob gig fyw ar ôl hynny. Ac yn wir, mae llawer yn dal i ofyn amdani mewn cyngherddau.

Fe ffoniodd merch fi yn ddiweddar i ofyn a oedd gen i gopi o'r sengl feinyl. Ac yn wir fe ges i hyd i un oedd yn digwydd bod ar ôl. Roedd hi am gael ei defnyddio ar wasanaeth bore Sul ar y radio. Gan fod y gân wedi cael ei chwarae yn gyson pan gafodd ei rhyddhau fel sengl yn 1981, fe werthodd y record yn wych nes bod rhaid trefnu i'w hail-gyhoeddi. Ail-wasgu oedd y term a ddefnyddid, gan mai 'gwasgu' llwybrau cul y recordiad ar ddarn o feinyl sy'n digwydd. Mewn clawr coch roedd yr ail-wasgiad gyda fy llun i efo fy ngitâr gyntaf, yr un a gefais un Dolig gan fy rhieni, a llun y 'Cyfeillion' ar y cefn.

Doedd y cerddorion a berfformiodd yn wreiddiol ddim ar gael i dynnu llun. Doedd dim amdani felly ond bachu rhywrai oedd yn digwydd pasio Coleg Bala-Bangor. Ac i mewn â nhw i'r llun gyda rhai o aelodau newydd Pererin gyda hwy. Bydd y myfyrwyr truan hynny a gafodd eu llusgo i'r llun yn dal i chwerthin am y digwyddiad, ac yn dal mewn anghrediniaeth. Yn y llun ar gyfer y clawr cyntaf roeddwn i'n gwisgo rhyw gap stabal gwirion, reit debyg i'r math a wisgir gan y 'Peaky Blinders' heddiw, a phlentyn bach yn chwarae o fy mlaen a minnau'n chwarae'r gitâr iddo. Meilyr fy mab ydi'r hogyn bach ac mae yntau bellach yn gyfansoddwr llawer gwell na mi. Mae'n parhau'r gwaith cerdd a ddechreuais yn Ysgol Hafod Lon. Ac er mai cwrs gradd Meistr mewn Peirianneg a astudiodd yng Nghaerdydd, cerddoriaeth yw ei gariad cyntaf yntau hefyd.

Ar gyfer y tu mewn i'r clawr cefais help geneth ifanc y clywais ei bod yn dda iawn am ddylunio cartwnau pwrpasol. Hi felly wnaeth greu taflen eiriau oddi fewn i'r clawr. Byddaf yn dal i edrych ar y daflen hon gydag edmygedd o'i dawn a'i ffafr i mi yn creu taflen eiriau ddengar. Enw'r eneth ifanc a oedd newydd ddechrau yn y Coleg oedd Angharad Tomos, awdures enwog a helaeth bellach i blant ac oedolion. Buom ein dau wedi hynny yn weithgar iawn gyda Chymdeithas yr Iaith ac yn cael ein hunain mewn pob math o drafferth efo'r heddlu.

Clawr gwreiddiol y sengl Credaf

5.
Pwy Wnaeth y Sêr Uwchben?

Pwy wnaeth y sêr uwchben,
Y sêr uwchben, y sêr uwchben?
Pwy wnaeth y sêr uwchben?
Yr Arglwydd Dduw.

Pwy wnaeth yr adar mân,
Yr adar mân, yr adar mân?
Pwy wnaeth yr adar mân?
Yr Arglwydd Dduw.

Pwy wnaeth y moroedd mawr,
Y moroedd mawr, y moroedd mawr?
Pwy wnaeth y moroedd mawr?
Yr Arglwydd Dduw.

Pwy wnaeth y pysgod chwim
Y pysgod chwim, y pysgod chwim?
Pwy wnaeth y pysgod chwim?
Yr Arglwydd Dduw.

Pwy wnaeth y chi a fi,
Y chi a fi, y chi a fi?
Pwy wnaeth y chi a fi?
Yr Arglwydd Dduw.

Pwy wnaeth y Crocodeil...?
Pwy wnaeth yr Eliffant...?

Arfon Wyn a rhai o ddisgyblion hynaf Ysgol Hafod Lon

A gaf i bwysleisio'n syth ar ddechrau'r bennod hon nad y fi gyfansoddodd y gân fach yma i blant. Ond er hynny y mae hi wedi fy nilyn yn ddi-ffael ar hyd fy mywyd fel perfformiwr a chyfansoddwr.

Wedi i mi wneud tipyn o ymchwil dwi bron yn siŵr mai cân fach gospel ydi hi ar gyfer Ysgolion Sul yn America. Ceir fideos Americanaidd o'r gân hon yn cael ei pherfformio yn Saesneg mewn cyfarfodydd i blant yn yr Unol Daleithiau.

Bûm yn ffodus iawn o gael helpu mewn clwb i blant bach mewn capel yn Aberystwyth un tro ar ddiwedd y 70au, a minnau yng nghanol fy nghyfnod yn y Coleg ym Mangor. Yn y clwb yr oedd dwy ferch gydwybodol iawn yn gweithio'n galed yn canu caneuon bach hawdd i'w dysgu i'r plantos oedd yno. Un o'r caneuon a ddenodd fy sylw oedd fersiwn Gymraeg syml o'r gân Saesneg, 'Who Made the Stars Above?'.

Ar y pryd yr oeddwn yn hel deunydd ar gyfer ei gynnwys ar albwm LP i blant i'r dyn ei hun, Dyfrig Thomas, Siop y Werin a Recordiau Gwerin o Lanelli. Roedd ymddiriedaeth Dyfrig ynof fel hogyn ifanc anghofus ond creadigol, blêr (fel yntau) a chynhyrchiol yn fodd i mi fynd ati i weithio'n galed i gael casgliad diddorol o ganeuon newydd i blant. A'r enw a fyddai ar y casgliad yn y pendraw oedd, wrth gwrs: *Pwy Wnaeth y Sêr Uwchben?* Fe es i adra o Aberystwyth a thrio cofio'r alaw a glywais. Gan nad oeddwn i'n cofio'r geiriau, rhaid oedd trio addasu ac ar yr un pryd creu geiriau newydd i'r gân.

Felly mae gen i ofn mai Mr Anon a sgwennodd 'Pwy Wnaeth y Sêr Uwchben?' yn wreiddiol. Ond fi gafodd y fraint o'i chyflwyno i blant Cymru mewn ffurf fywiog a hapus ar albwm LP a oedd yn andros o help i'w lledaenu fel cân i blant.

Wn i ddim am unrhyw ysgol ddyddiol nac Ysgol Sul sydd heb ganu hon. Eto roedd rhai fel Arfon Jones a Mudiad Ieuenctid yr Annibynwyr yn helpu i hyrwyddo'r recordiad yn yr Ysgolion Sul o bob enwad. Yna oherwydd ei symlrwydd fe ehangodd i Ysgolion Meithrin a Chynradd ledled Cymru. Mewn ffordd, mae ei hanes yn debyg i'r gân 'Moliannwn' a berfformiwyd gan Bob Roberts, Tai'r Felin. Cân o America oedd honno hefyd a gyfieithwyd i'r Gymraeg ac a wnaed yn boblogaidd drwy recordiad Bob ohoni ar record 78, fel y'i gelwid.

Fe fyddai fy nain annwyl Jane Owen, High Gate,

Gwalchmai wrth ei bodd yn gwrando arno'n canu a minnau fel plentyn yn gorfod troi'r handlan ar y gramoffon ('His Master's Voice') ac wrth fy modd yn gwneud. Petai Bob heb recordio'r gân mae'n bosib na fyddai llawer yn gwybod amdani. Ond daeth Cymru gyfan i'w chlywed ac i ganu 'Moliannwn', a bydd llawer, fel y Moniars, yn dal i'w chanu a'i pherfformio hyd heddiw. Felly y bu efo'r gân fach syml hon. Fyddai neb wedi clywed amdani petai Dyfrig Siop y Werin heb roi'r cyfle i ni ei recordio yn 1982.

Bellach mae cenedlaethau o blant wedi dysgu'r gân hon. Ac fel y dwedais, fe wnaeth fy nilyn ar hyd fy nghyfnod fel canwr a pherfformiwr dros y blynyddoedd.

Cofiaf un achlysur doniol iawn ym Maes Awyr Manceinion a minnau ar y ffordd i ŵyl werin yn Sbaen. Roedd criw o hogia o Gymru yn mynd am eu hawyren i chwarae rygbi i Dde Ffrainc. Roeddynt yn ciwio i fynd i'r awyren pan welodd rhyw ddau neu dri fi yn sefyll mewn ciw am awyren arall. Yn sydyn reit dyma nhw'n bloeddio canu fel côr:

Pwy wnaeth y sêr uwchben,
Y sêr uwchben, y sêr uwchben,
Pwy wnaeth y sêr uwchben,
Y fi, Arfon Wyn.

Gallaf eich sicrhau nad fi wnaeth y sêr, ond pe buaswn wedi gallu creu twll yn y ddaear y munud hwnnw, fe fyswn wedi gwneud ac wedi cuddio fy hun rhag yr embaras hwyliog gwaetha posib a achoswyd i mi erioed.

Nid hynny oedd yr unig dro i rywbeth tebyg ddigwydd.

Cerddais i mewn i ambell i westy i ganu a pherfformio, a chriw o fechgyn (fel arfer) wedi cael dipyn o laeth mwnci yn fy nghroesawu gyda datganiad croch o 'Pwy wnaeth y sêr?' Diolch hogia am y croeso cynnes!

Ond dim ots gen i am hynny gan i mi gael y fraint o ddysgu'r gân reit yn y dechrau i blant arbennig Ysgol Pendalar yng Nghaernarfon ac yn nes ymlaen yn Ysgol Arbennig Hafod Lon, y Ffôr.

Roedd yn gân fach hollol syml ac addas i blant gydag anableddau dysgu o bob math. Ac yno y dechreuais arbrofi efo hi a mireinio'r geiriau. Hyfryd o beth hefyd yw i mi allu arwain cannoedd ar gannoedd o blant yn ei chanu mewn torf, mewn ysgolion, capeli, digwyddiadau awyr agored a chyngherddau'r Urdd, a gweld llawenydd y plant yn ei chanu gyda mwynhad pur.

Roedd Meilyr yn hogyn mawr, yn hŷn na'r genod ac ella yn fwy swil neu'n rhy hen i ganu cân plant bach. Rwy'n cofio Elin ac Annes yn cael hwyl lawer tro yn canu hon a mynd efo Dad i ryw lefydd diddorol i'w chanu gyda phlant bach o bob math. Profiad braf iawn oedd clywed rhai o'm plant fy hun yn ei chanu yn yr Ysgol Sul ac yn mwynhau gwneud y migmas neu'r meim. Rwy'n diolch hefyd o waelod calon am i mi gael gweld fy wyrion yn ei chanu mewn cyngherddau Pasg a Nadolig mewn gwahanol ysgolion. Ie, yn canu cân Taid; neu yn hytrach cân a boblogeiddiwyd gan Taid.

Arweiniodd hyn fi i gyfansoddi llawer o ganeuon a charolau i blant, rhai fel: 'Ar Fore Dydd Nadolig', 'Rhwyfo Lawr yr Afon', 'Heddwch fel Afon', 'Carol Jamaica', 'Yr Enfys', 'Cân Moses', 'Diolch i'r Iesu Da', 'Hedyn Mwstard' a llawer un arall a anelwyd yn gyntaf at blant a chanddynt anabledd dysgu. Dechreuais gyfansoddi'r math yma o ganeuon syml i blant a phobl ifanc tra'r oeddwn yn athro yn Ysgol Arbennig Pendalar.

Cofiaf yn glir i mi gael llawer i awr hynod hapus yn cyfansoddi gyda'r plant. Roedd un bachgen arbennig a ddaeth atom o ardal Wrecsam, os cofiaf yn iawn, sef David John Evans. Un tindrwm a musgrell iawn oedd Dafydd ac yn dueddol o syrthio'n hawdd. Roedd gen i bob cydymdeimlad ag o gan fy mod innau'n dindrwm iawn yn fy mhlentyndod.

Dechrau da i gyfeillgarwch yw empathi. Doedd Dafydd ddim eisiau rhedeg o gwmpas fel y plant eraill rhag ofn iddo syrthio, yn enwedig gan fod cae chwarae Ysgol Pendalar bryd hynny ar lechwedd serth. Beth bynnag i chi, fe fyddai Dafydd yn hollol fodlon yn eistedd yn ei gadair yn edrych ar y plant eraill ar y swings a'r si-so ac ati, a minnau yn yfed fy mhaned adeg egwyl wrth ei ochr.

Byddaf yn cael brên-wêfs weithiau ac un o'r rheini oedd rhoi bongos bach ar lin plentyn a oedd newydd ymuno â ni fel ysgol, a gweld sut y byddai'n ymateb. Yna fe fyddwn innau yn ystod amser chwarae – neu egwyl fel y'i gelwir yn awr – yn estyn am y gitâr a dechrau jamio, fel y'i galwn yn y maes cerddoriaeth cyfoes. Fi yn chwarae rhywbeth-rhywbeth yn fyrfyfyr a Dafydd yn sefydlu rhythm ar y bongos bach ar ei lin. Gwnaethom ysgrifennu degau o ganeuon fel hyn ddim ond wrth ffidlan efo cordiau a rhythmau gwahanol yn ystod amser egwyl. Fe setlodd Dafydd yn yr ysgol a'r dosbarth yn hynod o sydyn drwy'r gweithgaredd cerddorol hwn. Yn wir, roedd yn holi bob dydd:

'Pryd 'dan i'n neud miwsig nesa, Mr Wyn?'

A dyna oeddan ni'n ei wneud ynde, a chael llawer o hwyl wrthi, yn 'gwneud miwsig'. Bydd Dafydd yn sôn am y cyfnod hwn hyd heddiw, a dwi'n siŵr ei fod o bellach yng nghanol ei ddeugeiniau. Ffrindiau am byth yw ffrindiau gydag anableddau ac a oedd yn ddisgyblion i mi.

Mae 'Pwy Wnaeth y Sêr?' felly yn fy atgoffa bob tro am y cyfnod hapus hwn pan gawn y cyfle i arbrofi'n gerddorol efo plant oedd ag anawsterau dysgu amrywiol iawn. Braint aruthrol i mi oedd cael sgwennu caneuon iddynt, a hynny gyda'u help unigryw hwy.

Rywsut neu'i gilydd daeth y dewin bychan o Lanelli i glywed am yr holl ganeuon newydd yma i blant. Ie yn wir, yr annwyl Dyfrig Thomas, eto o Siop y Werin a Recordiau Gwerin. Roedd o'n awyddus i ryddhau albwm feinyl (LP) arall o'r caneuon yma. Ac fe ymddiriedodd y dasg i mi o recordio'r albwm yn Stiwdio Sain eto, fel y gwnaeth ymddiried mewn recordio caneuon y grŵp Pererin a *Pwy Wnaeth y Sêr* yn gynharach. Gan fod yr albwms hynny wedi gwerthu'n dda yn ôl Dyfrig, roedd o am gael rhai tebyg, ond y tro hwn i blant o bob oed.

Cofiaf yr adeg pan wnes i chwarae'r trefniant a baratois o 'Pwy Wnaeth y Sêr Uwchben?' am y tro cyntaf i'r peirianwyr yn Stiwdio Sain. Dyma nhw'n deud yn syth:

'Ma hon yn winnar, yn hit yn bendant!'

Wnes i ddim meddwl am eiliad ar y pryd y byddai rhan helaeth o blant Cymru, ac yn wir blant eu plant, yn canu'r gân fach syml hon yr oeddwn wedi ei darganfod, ei haddasu i'r Gymraeg a gwneud trefniant bywiog a hapus ohoni. Yn rhyfeddol, mae'r casgliad o'r caneuon hyn yn dal i werthu hyd heddiw ar CD.

Gymaint fu'r ymateb fel bod Dyfrig eisiau i ni recordio ail gasgliad i blant. Felly rhaid oedd gweithio'n sydyn a hel pob cân addas i blant a oedd ar ddarnau o bapur blêr o gwmpas fy nesg ac wrth y piano adref. Cefais hyd i 14 o ganeuon o'r fath. Roedd 14 ar yr albwm *Pwy Wnaeth y Sêr* hefyd; bargen dda i gadw'r plant yn ddistaw am awr o leiaf.

Dewch i'r Wledd oedd yr ail gasgliad ar feinyl. Ond y tro hwn daeth rhyw dechnoleg newydd i'r fei – y casét. Wel dyma i ni ddyfais ddelfrydol oedd hon, ynde! Roedd pob car newydd efo chwaraewr casét bellach. Doedd dim posib chwarae LP 12 modfedd mewn car, felly dyma gyfle euraidd. Drwy gyfrwng peiriant casét y car roedd miloedd o rieni yn medru cadw'u plant yn ddedwydd, yn enwedig ar siwrne hir, drwy chwarae cerddoriaeth iddynt. Fe fu hyn yn llwyddiant mawr iawn gan ein bod ni wedi cynhyrchu casetiau o'r ddau albwm i blant ar yr union adeg iawn. Amseriad perffaith, rhywbeth nad yw'n digwydd yn aml.

Ond arhoswn am funud! Pwy oedd y rhai a'm helpodd i greu'r casgliadau hyn o ganeuon hapus a difyr i blant? Bydd llawer yn rhyfeddu at ansawdd cerddorol y recordiadau ac yn canmol y trefniannau o'r gwaith offerynnol. Wel, mae fy niolch yn fawr iddynt, a rhaid eu henwi:

Llio Haf ac Einion Williams oedd y ddau 'amigo' mwyaf blaenllaw yn y recordiadau o'r caneuon hyn. Llio ar y piano, y ffliwt ac yn canu ac Einion wedyn ar yr offer taro amrywiol, o dabyrddau'r bongo i glockenspiel, congas, drwm Gwyddelig a phob math o synau diddorol. Doedd dim angen drymiau, felly roedd y tri ohonom yn gallu creu synau amrywiol ac addas ar gyfer y caneuon.

Stori dda ydi honno am y lleisiau cefndir cyfoethog a

geir ar *Pwy Wnaeth y Sêr Uwchben?* ar bob un o'r caneuon eraill, bron iawn. Ffafr am ffafr oedd hi ond fe weithiodd y cyfan yn hudolus o effeithiol.

Roeddwn i wedi helpu criw o bobol ifanc yn Ysgol Uwchradd Brynrefail, Llanrug i ddatblygu eu grŵp canu ysgafn, Y Gwlith. Ond doeddwn i ddim i wybod ar y pryd y byddai nifer dda ohonynt yn datblygu i fod yn gerddorion a chantorion proffesiynol medrus. Y theori oedd gen i erioed oedd bod traddodiad hynod gyfoethog o gerddoriaeth lleisiol yn ardal y chwareli, yn arbennig felly yn Llanberis a'r ardaloedd cyfagos.

Fe ddeilliodd y ddamcaniaeth hon o hanes fy nhad, a oedd o Lanberis, yn canu mewn corau oedd yn gysylltiedig â chapeli'r pentref ac yn perfformio oratorios a thebyg yng nghanol bro'r chwareli. Yn wir, cafodd Y Meseia gan Handel ei chanu'n llawn gan y côr yr oedd fy nhad yn aelod ohono yn fachgen ifanc. Felly roedd yna draddodiad cryf iawn o ganu da yn y fro. Ac o'r ardaloedd hyn y deuai aelodau'r grŵp Gwlith y bûm yn cyfansoddi caneuon iddynt a'u helpu i wneud trefniannau diddorol o ganeuon eraill. Gan fy mod wedi eu helpu efo'u grŵp, yr oeddynt hwythau yn fodlon iawn i'm helpu i gyda'r canu fel lleisiau cefndir o'r safon uchaf i'r albwm *Pwy Wnaeth y Sêr?* a'r albwm dilynol, *Dewch i'r Wledd.*

Braint oedd cael cydweithio â chantorion gwych fel Siân Gibson o ardal Deiniolen a Dinorwig, a Genod Tŷ'r Ysgol, Marina ac Olwen Bryn. A byddai Annette bob amser yn barod i helpu o dro i'w gilydd hefyd. Wedyn dyna Rhian Owen, Lynne Jones a Nia Pritchard o Lanberis. Am sŵn anhygoel yr oedd y genod hyn yn gallu ei gynhyrchu, hyd yn oed gyda'r gân fwyaf syml. Mae llwyddiant *Pwy Wnaeth y Sêr Uwchben?* yn ddyledus iawn i ganu mor safonol gan y côr bach hwn o enethod ysgol ar y pryd.

Hefyd wrth gwrs roedd yna le da i gynnwys meim gan y plant yn y gân hon. O'r cychwyn roeddwn am gynnwys meim yn y datganiad o'r gân ar gyfer y plant heb leferydd ac a oedd yn ddibynnol ar Makaton ac arwyddo tebyg. Mae fy mab Meilyr Wyn wedi datblygu hyn i lefel llawer uwch yn Ysgol Hafod Lon Newydd. Ac y mae yntau bellach wedi cyhoeddi llyfr o ganeuon yn cynnwys y dull hwn o arwyddo gyda'r gân, sydd o ddiddordeb mawr nid yn unig i blant gydag anghenion dysgu ychwanegol ond hefyd i blant yn gyffredinol.

Ychydig a dybiwn wrth berfformio'r gân hon a'i recordio ar albwm y byddai cannoedd o blant ledled Cymru yn ymateb drwy wneud arwyddion efo'u dwylo o'r sêr yn disgleirio yn y nos.

Llun oddi ar LP Pwy Wnaeth y Sêr Uwchben?

6.
Curiad Calon i Ffwrdd

A thithau'n wynebu'r tanciau
Yn hollol ar ben dy hun,
Cofia fod gen ti ffrindiau
Sy'n eneidiau hoff cytûn,
A phan fydd y milwyr haerllug
Yn dy daro di i'r llawr,
Cofia di fy ngeiriau,
Wedi'r nos fe ddaw y wawr

Curiad calon i ffwrdd.
Curiad calon i ffwrdd,
Ni fydda i oddi wrthat ti
Ond curiad calon i ffwrdd.

Byddaf innau'n hiraethu am y dyddiau
Pan fydd ein rhyddid gerllaw,
Pan gaiff dy bobol fyw,
Dweud eu meddwl heb ddim braw
Ond os daw dreigiau gorthrwm
I geisio dwyn y freuddwyd hon,
Cofia di y brawdgarwch
Sydd yma i ti dan fy mron.

Curiad calon i ffwrdd
Curiad calon i ffwrdd
Ni fydda i oddi wrthat ti
Ond curiad calon i ffwrdd.

Gwelaf di mewn dagrau yn sefyll o flaen y llys,
Dy saethu yn ddisymwth, dyna oedd eu gwŷs,
Ie dyna oedd eu gwŷs.
Dwedaf innau heno os wyt mewn cell neu mewn bedd,
Ni all gormeswyr creulon ddiffodd y fflam hon efo'r cledd.
Mae canhwyllau bychain gobaith yn goleuo drwy ein byd
Ac yn siwr o ddymchwel y twyllwch fu'n teyrnasu gyhyd.

Curiad calon i ffwrdd,
Dim ond curiad calon i ffwrdd.
Dim ond curiad calon,
Dim ond curiad calon i ffwrdd.

*Y llun eiconig o'r dyn yn Sgwâr Tiananmen
yn sefyll o flaen y tanciau
Llun: Wikipedia*

Dwi wedi sôn eisoes am luniau yn ysbrydoli caneuon. Dyna i chi 'Y Drws' er enghraifft a recordiwyd gan Pererin. A hefyd 'Richie ac Ifan' a recordiwyd gan y Moniars. Ond y tro hwn dyma ysbrydoliaeth yn dod o fideo fer fel eitem o newyddion, a hynny o Tsieina. Fe'i tynnwyd ar Sgwâr Tiananmen yn Beijing yn 1989.

Y dyddiad oedd Ebrill 15 yn y flwyddyn honno pan brotestiodd miloedd o fyfyrwyr yn erbyn y drefn Gomiwnyddol gaeth. Dywedwyd fod cannoedd, yn wir o bosib miloedd, wedi eu lladd gan filwyr Tsieina wrth iddynt ymosod ar y protestwyr gyda gynnau a thanciau.

Galwyd y symudiad hwn yn erbyn Llywodraeth Gomiwnyddol Tsieina yn 'Symudiad Democratiaeth '89.' Roedd y myfyrwyr yn protestio yn erbyn y llygredd llywodraethol, y cyfyngiadau ar ryddid y wasg a'r crebachu ar hawliau sifil. A hyn oll yn cydamseru â marwolaeth Hu Yaobang, arweinydd gwleidyddol a oedd yn ymgyrchu dros lywodraethu mwy tryloyw ar y pryd.

Wedi'r lladdfa ar Sgwâr Tiananmen fe gafwyd protest gan un dyn a hoeliodd sylw'r holl fyd, sef y protestiwr dienw hwnnw a safodd o flaen y tanciau. Drannoeth y gyflafan fe safodd y gŵr dewr hwn o flaen rhes o bedwar tanc gan arddangos dewrder heriol anghyffredin.

Daeth y llun ohono yn symbol byd-eang. Fe'i hystyrir fel un o'r lluniau mwyaf eiconig a dynnwyd erioed. Fe'i tynnwyd, fe gredir, gan Americanwr o'r enw Jeff Widener. Yn Tsieina ei hun mae'r llun wedi ei wahardd yn ogystal â'r fideo a ffilmiwyd o'r digwyddiad. Defnyddiwyd holl rym sensoriaethol y wlad. Yn wir, mae'n drosedd yn Tsieina i chi hyd yn oed sôn am y digwyddiad y tu ôl i'r llun.

Yr hyn a arhosodd yn fy meddwl i oedd y ffaith fod y dyn ifanc, bob tro y byddai tanc yn ceisio mynd heibio iddo, yn symud i'w atal. Yn amlwg roedd mewn perygl o gael ei ladd, ond yr un mor amlwg – fel nifer o'i gyfeillion y noson cynt – roedd yn barod i aberthu ei hun yn enw rhyddid a chyfiawnder.

O weld ei safiad, teimlais ei fod o yn fy nghynrychioli i yn bersonol, ond mewn ffordd lawer mwy dewr na mi. Teimlais hefyd ei fod yn cynrychioli pob un sydd erioed wedi ymladd yn erbyn anghyfiawnder ledled yr hen fyd yma. Doedd o ond un curiad calon i ffwrdd oddi wrtha'i mewn gwirionedd.

Er nad oes pendantrwydd ynglŷn â phwy oedd y gŵr ifanc eofn a dewr hwn, dywedir gan rai yn Tsieina mai Wang Weilin ydoedd ac iddo gael ei ddienyddio am ei brotest gan y Llywodraeth ddidrugaredd yno.

Cofiaf gychwyn ar gyfansoddi'r gân hon a minnau newydd fod yn cydweithio ar EP efo meistr cerddoriaeth arbrofol ei hun, Gorwel Owen, a oedd ar y pryd yn byw yn yr un pentref â mi, sef metropolis Llangwyllog, Ynys Môn.

Roeddem wedi recordio casét arbrofol iawn o'r enw *Cyfeillion mewn Carchar* gan fand newydd sbon ar y pryd o'r enw Pry Clustiog. Chwe chân oedd ar y casét a rheini i gyd yn cynnwys amrywiaeth o synau electronig diddorol. Profiad gwerthfawr oedd gweithio ar y prosiect cerddorol hwn gyda Gorwel. Defnyddiwyd peiriant creu sŵn drymiau, syntheseisydd 'moog' a dyfeisiadau eraill cyfoes iawn. Aeth Gorwel ati yn nes ymlaen i gynhyrchu recordiadau'r Super Furry Animals. A'r Moniars, wrth gwrs.

Arhosodd y profiad gwych hwn yn fy nghof wrth i mi

fynd ati i recordio ail albwm Pry Clustiog gyda Dyfed Edwards o gwmni Curiad mewn tŷ hynafol iawn o'r enw Dolgain yng Nghwm Dolgain, Trawsfynydd, ar y lôn hudolus honno rhwng Rhiwgoch a Llanuwchllyn. Yno yn y tŷ fferm cyntefig a thraddodiadol hwn yr oedd Dyfed wedi sefydlu stiwdio newydd i recordio caneuon yr artistiaid oedd ganddo ar gyfer ei label newydd.

Cofiais yr hyn yr oeddwn wedi ei ddysgu gan Gorwel a sut y gellid creu sŵn a naws atmosfferig arbennig drwy ddefnyddio effeithiau electronig arbrofol. Dechreuais gyda sŵn drymiau a syntheseisydd. Rhythm cyson yn y drymiau electronig i gynrychioli curiad calon i gyd-fynd â geiriau a theitl y gân. Fe wnes i ganu'r gân gydag eco cryf ar y llais i greu awyrgylch pell i ffwrdd a hudolus, yn arbennig yn y gytgan. Roedd fy mab Meilyr Wyn wrth ei fodd efo'r gân ac yn wir yn mynnu fy mod i'n cynnwys ei hanes yn y casgliad hwn. Felly rhaid oedd ufuddhau gan ei fod yn well cerddor o lawer na fi, heb os.

Roeddwn i wedi fy syfrdanu gan y fideo o'r bachgen ifanc a dewr hwn ar Sgwâr Tiananmen. Ac er gwaetha'r pellter daearyddol oedd rhyngom, roeddwn i'n teimlo yn agos iawn ato. Yn wir, dim ond curiad calon i ffwrdd oddi wrtho ef ac oddi wrth ei brotest dros gyfiawnder oeddwn i. Ond yr oeddwn i er hynny yn teimlo'n llwfr yn fy safiad dros achosion rhyddid yma yng Nghymru.

Beth oedd yn arbennig yn hwn? Wel, doedd y gŵr ifanc yma ddim ofn marw dros ei bobol, dim ofn colli ei fywyd, yn union fel y teimlai Gandhi a dewrion fel Nelson Mandela a Martin Luther King. Pobol hunanaberthol.

Ond dydi'r fath ddewrder ddim gen i. Rydw i fel llawer

o Gymry eraill yn fodlon gwneud sŵn mawr a phrotestio dros Gymru. Ond ddim yn barod i roi fy mywyd i lawr drosti. Hunan-aberth yw'r unig ffordd y mae rhyddid oddi wrth elynion mawr a chadarn yn cael ei ennill yn ôl hanes diweddar dynoliaeth.

A gofiwch chi lun trawiadol arall? A gofiwch chi'r llun hwnnw a gynorthwyodd i roi terfyn ar y rhyfel yn Fietnam? Ie, llun y mynach Bwdistaidd hwnnw yn llosgi ei hun yn ulw yng nghanol Saigon yn 1963. Dyma hunan-aberth oedd y tu hwnt i eiriau a thu hwnt i ddeall. Cofiwn hefyd fel y bu i Gwynfor herio Llywodraeth Lloegr dan arweiniad Margaret Thatcher drwy fygwth ymprydio hyd at farwolaeth os bydda raid.

Yr oedd fy nghalon i'n cyd-guro â chalon y bachgen dewr ar Sgwâr Tiananmen a doedd gen i ddim ond edmygedd at ei ddewrder anhygoel. Er na wyddwn ei enw, mae'n cynrychioli'r math o bobl sy'n gallu newid cwrs y byd.

> Ond os daw dreigiau gorthrwm
> I geisio dwyn y freuddwyd hon,
> Cofia di y brawdgarwch
> Sydd yma i ti dan fy mron.

Ac wrth i Tsieina fygwth cymryd y byd drosodd drwy'r or-ddibyniaeth ar wneuthuriad bron bopeth, a thrwy fygythiad arfau, rydan ni'n byw ein bywydau moethus heb feddwl am fywyd caeth pobl sydd dan gamerâu parhaol a chyfundrefn sy'n asesu pob dinesydd ar sail eu teyrngarwch i'r system. Gwelwn fod y bachgen dewr hwn wedi bod yn hollol unplyg a phroffwydol yn ei safiad. Diolch iddo am ysbrydoli y gân hon.

7.
Pan Ddaw yr Haf

Gresyn fod y gaeaf yn parhau mor hir,
Gresyn i'n gardd droi yn anial dir,
Tywysog y nos sy'n ceisio einioes plant y dydd,
O, am weld yr amser cawn gerdded eto'n rhydd,
Ac o, mor braf fydd gweld y dydd yn dod
Ac o, y wefr o weld fod haul yn bod,
O weld fod haul yn bod.

A phan ddaw yr haf
Cawn gerdded eto 'nghyd,
Cawn brofi newid byd
Pan ddaw'r haf yn ôl,
Ac os dyfalbarhawn
Cawn brofi gwin ei rawn
O ffiolau bythol lawn
Pan ddaw'r haf yn ôl

Gresyn na chofiwn am wres yr haf a fu,
Gresyn na welwn ei belydrau cry,
Niwl dallineb sydd dros flodau yr ardd;
A ydym yn fyddar i farddoniaeth y bardd?
Ac o, mor dywyll yw crombil gaeaf oer,
Ac o, yr hiraeth am olau mwy na'r lloer,
Am olau mwy na'r lloer.

A phan ddaw yr haf
Cawn gerdded eto 'nghyd...

Eirlys Parri

Bydd gan bob cyfansoddwr caneuon ei ffefrynnau. Efallai nad dyma ffefrynnau'r cyhoedd. Ond er hynny gallant fod yn ffefrynnau i'r cyfansoddwr ei hun. Mae'r gân hon yn un o'r caneuon rheini, un o'm ffefrynnau i o blith yr amryw o ganeuon yr ydw i wedi eu hysgrifennu ers fy arddegau.

Daeth 'Pan Ddaw yr Haf' yn ail yng nghystadleuaeth Cân i Gymru yn 1982. Roeddwn yn anlwcus iawn imi drio'r flwyddyn honno gan i mi ddod yn erbyn chwip o gân, 'Nid Llwynog Oedd yr Haul' gan Geraint Løvgreen a Myrddin ap Dafydd. Pan gyrhaeddais i'r stiwdio deledu ar gyfer y gystadleuaeth y flwyddyn honno, cefais air â Caryl Parry Jones a oedd, dwi bron yn siŵr, yn canu rhai o'r caneuon yn y gystadleuaeth. A dyma Caryl yn fy nghyfarch:

'Wel Arfon, mae hi rhwng dy gân di a chân Løvgreen a

Myrddin, "Nid Llwynog oedd yr Haul". Dach chi ddim yn meindio colli i gân mor wych a grymus â honno, nac ydach?'

A doeddwn i ddim. Ond wrth feddwl am ein dyddiau diweddar ni a chyfnod y Covid-19 mi fysa'n hawdd meddwl mai cân ddiweddar yw 'Pan Ddaw yr Haf' ac i mi ei chyfansoddi ar gyfer y cyfnod anodd hwn:

A phan ddaw yr haf
Cawn gerdded eto 'nghyd,
Cawn brofi newid byd, pan ddaw'r haf yn ôl,
Ac os dyfalbarhawn cawn brofi gwin ei rawn
O ffiolau bythol lawn
Pan ddaw'r haf yn ôl.

Mor addas y gall cân fod ar gyfer amgylchiadau arbennig, er iddi gael ei chyfansoddi mewn cyfnod hollol wahanol. Gofynnais i Eirlys Parri ei chanu i mi yn y gystadleuaeth. Roedd gen i barch mawr at Eirlys ac roeddwn yn hoffi ei llais yn arw. Roedd hi wedi cydweithio â mi mewn aml i gyngerdd Nadolig yn Ysgol Hafod Lon, Y Ffôr, ynghyd ag eraill oedd mor barod i helpu fel Rosalind a Myrddin ac Ysgol Gynradd y Ffôr.

Y rheswm yr ydw i mor hoff o'r gân hon yw am ei bod yn anthemig yn ei chytgan. Gallwch ddychmygu torf neu gôr enfawr yn canu'r gytgan yn yr un modd â 'Harbwr Diogel'. Ond rhaid fyddai i'r gynulleidfa fod wedi clywed y gân droeon a'i dysgu yn y ffordd honno cyn y gallent ymuno mewn cytgan o'r fath. Ond ni fysech wedi clywed hon erioed oni bai fod gennych gasét Eirlys Parri, *Ffordd y Ffair*. Fel arall, dw'i ddim yn meddwl fod gobaith i chi fod wedi ei chlywed yn unman.

Fel y soniais, roedd artistiaid lleol yn cytuno i gymryd rhan mewn cyngherddau yn Ysgol Hafod Lon pan o'n i'n brifathro yno am ddeng mlynedd. Y syniad oedd gen i oedd gwneud yr achlysuron hyn yn rhai cymunedol ac integreiddiedig. Hefyd byddai cynnwys artistiaid lleol enwog yn perfformio'r un pryd â'r plant yn codi urddas y cyngerdd ac yn adlewyrchu'n ffafriol iawn ar y rhai oedd yn dioddef o anableddau dysgu. Fe weithiodd hyn bob tro ac rwy'n sicr i lawer o'r artistiaid a wnaeth gymryd rhan wneud hynny o'u calonnau ac yn ddi-dâl. Diolch o galon iddynt oll.

Roedd cysylltiad gan Eirlys Parri â phentref Nefyn a dyna un rheswm i mi ofyn iddi gymryd rhan. Mae ganddi hefyd lais tyner ac emosiynol, yr union fath o lais yr oeddwn i'n ei hoffi yn arw. Parod iawn oedd Eirlys ac eraill i ddod i berfformio yn y cyngherddau hyn, er ei bod hi bryd hynny yn byw yn y Bala.

Gofynnais iddi a fyddai ganddi ddiddordeb mewn canu un o'm caneuon yng nghystadleuaeth Cân i Gymru. Ac er mawr syndod i mi fe wnaeth hi gytuno ar unwaith. Doeddwn i wir ddim yn disgwyl hyn gan nad oeddwn ond rhyw gyw gyfansoddwr ar y pryd.

Roedd Eirlys wrth ei bodd efo'r gân. Ac fel llawer o'm caneuon roedd y geiriau yn golygu llawer iddi ar ei lefel hi o ystyr y gân. Fel llawer o'm caneuon hefyd roedd mwy nag un ystyr gwahanol posibl i'r geiriau. I Eirlys yr ystyr oedd yr hiraeth oedd gan ei thad am ddiwygiad crefyddol unwaith eto yng Nghymru; y dyhead am weld pobl yn cymryd eu ffydd deinamig o ddifri, fel yr haf yn dychwelyd ar ôl gaeaf hir.

Eto i gyd nid dyna'r darlun oedd gen i yn fy mhen wrth

gyfansoddi'r gân, er fy mod i'n hoff iawn o ddehongliad Eirlys. Fe ganai Eirlys y gân gydag angerdd yng ngoleuni ei dehongliad hi ei hun, a pheth gwych iawn i'w weld a'i glywed oedd hynny. Deuai â mwy o angerdd i'r perfformiad.

Wrth ddarllen geiriau'r gân am y tro cyntaf ers blynyddoedd, alla'i ddim credu pa mor addas ydynt i'n cyfnod ni yng nghanol y pla a lledaeniad y feirws felltith yma. Gadewch i mi fynd trwy rai o'r geiriau i egluro hyn. Pennill un er enghraifft:

> Gresyn fod y gaeaf yn parhau mor hir,
> Tywysog y nos sy'n ceisio einioes plant y dydd.

Ie, y feirws yn achosi blwyddyn a mwy o 'aeaf' yn ein plith fel pobol drwy'r cread, ac yn 'ceisio einioes' pobloedd y byd.

> O, am weld yr amser cawn gerdded eto'n rhydd.

Pawb ohonom yn dyheu am weld ein teuluoedd a'n ffrindiau ac i gael 'cerdded eto'n rhydd' gyda hwy.

> Ac o mor braf fydd gweld y dydd yn dod
> Ac o, y wefr o weld fod haul yn bod.

Ydi, 'mae'r haul yn bod', er yn aml am gyfnodau mae'r cymylau duon yn ei guddio. Roeddwn wedi cyd-sgwennu cân obeithiol gyda Rhian Evans, athrawes a mam ifanc o Gaerdydd, i gael ei chanu gan Dylan Morris o Bwllheli. Roedd Dylan wedi gwneud dipyn o enw iddo'i hun fel canwr ar Facebook. Y gân oedd 'Haul ar Fryn' cân yn datgan yn obeithiol iawn am y dyfodol gan ail-adrodd yr hen ddywediad hwnnw: 'Fe ddaw eto haul ar fryn.'

Digon hawdd oedd adrodd neu ganu'r geiriau hyn yn ystod haf braf 2020. Ond erbyn canol y gaeaf oer ar ddechrau 2021, roedd pobl yn colli gobaith ac yn gofyn, 'Wel, lle mae'r haul ar fryn yma felly 'ta?' Ai addewid gwag oedd y gân syml hon? Ac a oeddem yn naïf yn gaddo'r fath beth mewn cân? Mae'r gân hon felly o 1982 fel petai hi'n cynnig yr ateb. Rhaid dal i gredu bod 'haul yn bod' er gwaethaf cymylau anobaith, ac yna'r addewid llawer mwy cryf a hyderus: 'A phan ddaw yr haf...'

Ac mae'n siŵr o ddod, a dod â'i haul efo fo, yn sicr. Bryd hynny fe gawn ni 'brofi newid byd' a chawn 'gerdded eto 'nghyd' fel teuluoedd, yn ffrindiau a cheraint. Bryd hynny 'Cawn brofi o win' yr haf 'o ffiolau bythol lawn'. Fe fydd dathlu mawr 'Pan ddaw'r haf yn ôl'. Pawb yn dyheu am i'r 'normalrwydd' hwnnw a gâi ei gymryd yn ganiataol ddod yn ôl i ni.

Ym mhennill dau, mae yna edrych yn ôl at yr hen hafau, hafau'r gorffennol pan oeddem mor hapus a dedwydd,

> Gresyn na chofiwn am wres yr haf a fu.
> Gresyn na welwn ei belydrau cry.

'Dan ni bron ag anghofio sut oedd pethau cyn y pla erchyll hwn sy'n gallu dwyn ein hanwyliaid o'r byd, a hynny'n aml yn ddirybudd.

> Ac o, yr hiraeth am olau mwy na'r lloer.

Hynny am ein bod yn byw mewn nos o amser dyrys a dim ond rhyw ychydig o oleuni sy'n treiddio o wawl y lleuad unig. Rydan ni angen yr haf i ddychwelyd â'i haul cynnes gydag o i ddod â hapusrwydd yn ôl i'n gwlad ac i wledydd eraill yr holl fyd. 'A phan ddaw yr haf' fe wnaiff hynny ddigwydd. Pwy feddyliai y byddai cân o'r wythdegau mor berthnasol i'n dyddiau rhyfedd ni, pan mae mor anodd dal ati, a dal gafael yn y gobaith am y dyfodol?

Fe ganodd Eirlys y gân hon yn wych yng nghystadleuaeth Cân i Gymru 1982, gydag angerdd a chryfder teimladwy iawn yn y gytgan. Teimlaf mai cytgan 'Pan Ddaw yr Haf' yw ei chryfder ac rwy'n hapus iawn i ddweud fod y cyfansoddwr a'r trefnydd cerddoriaeth enwog hwnnw Gareth Glyn, sy'n digwydd byw lawr y lôn i mi yn Llangwyllog, yn teimlo ei bod hi'n teilyngu cael ei threfnu ar gyfer côr pedwar llais. Ac yn ddiweddar mae wedi cwblhau'r gwaith hwnnw ac mae'r trefniant ar gael i gorau o'r fath drwy gyfrwng Cwmni Cerddoriaeth Curiad, a Ruth Myfanwy y perchennog. Felly mae gobaith posib i chi ei chlywed eto, yn cael ei chanu yn briodol gan gôr y tro hwn.

Diddorol yw nodi wrth fynd heibio bod Gareth Glyn, y cyfansoddwr, Gorwel Owen y cynhyrchydd cerddoriaeth a weithiodd gyda rhai fel y Super Furry Animals ac eraill o enwogion y sîn roc Gymraeg a rhyngwladol, a minnau fel canwr/gyfansoddwr, oll wedi byw am flynyddoedd ym mhentref distaw a di-nod Llangwyllog. Saif y pentref yn union yng nghanol Ynys Môn. Dyna chi wedi dysgu rhywbeth arbennig am bentref a bro Llangwyllog ym mynwes Môn! Bydd Sant Cwyllog wrth ei fodd, ac yn canu efo ni!

Gyda llaw, cân am ail-ddyfodiad Crist yw'r gân hon yn

wreiddiol ar ôl gweld Bob Dylan yn fyw yn canu caneuon o'i albyms *Slow Train Coming* a *Saved*. Doedd Eirlys Parri a'i thad annwyl ddim yn bell ohoni felly.

Roedd Bob Dylan yn perfformio yn yr NEC yn Birmingham gyda'i fand, a'i ffrind Tom Petty yn perfformio gydag ef. Yr albwm *Saved* oedd dan sylw ac fe ganwyd pob cân o'r CD newydd yn y cyngerdd hwn. Wrth gwrs, bu'n rhaid i Bob hefyd ganu rhai o'r ffefrynnau fel 'Knocking on Heaven's Door' a rhai o'r caneuon hynod o'r albwm *Slow Train Coming*.

Roeddwn i wedi mopio efo'r caneuon newydd hyn. Roeddwn wedi dilyn Bob Dylan ers dyddiau ysgol uwchradd ac wedi canu 'The Times they Are a Changing', a chaneuon fel 'Blowing in the Wind' a 'Mr Tambourine Man', wrth gwrs. Ond roedd y caneuon crefyddol newydd yma a ganai yn fy nghyffwrdd i'r byw. Meddyliwch am 'You Gotta Serve Somebody' er enghraifft, cân bron yn efengylaidd yn ystyr eang y gair. A'r hyn a'm tarodd i mor arbennig oedd y ffaith nad oedd Bob yn malio dim os oedd yna rai nad oedd yn hoffi ei bwyslais a'i gyfeiriad newydd. Dyma ddyn eofn a oedd wedi concro'r byd roc a chanu cyfoes ond heb falio botwm corn os oedd rhai sinigiaid yn ei feirniadu am gyfansoddi caneuon Gospel a Christnogol.

A phan ddes i adra'r diwrnod wedyn, es i'n syth at biano a chyfansoddi'r gân hon. Ond yn anffodus doeddwn i ddim mor hyderus ac eofn â'r meistr, Bob Dylan!

8.

Fe Godwn Eto

Mi glywais pan yn blentyn
am y flwyddyn un-dau-wyth-dau,
a'r modd y cafodd Llywelyn
ei fradychu a'i sarhau;
A'r ffordd y cafodd ei lofruddio,
dwyn ei ben i Lundain draw
a'i arddangos ar ffon mewn gwarth
er mwyn dwyn ein pobol i'r baw.

'Dan ni wedi diflasu ar gael ein sathru,
o do, gan lawer un,
dw'i wedi blino ar fod yn alltud,
a hynny yn fy ngwlad fy hun.
OND FE GODWN ETO!
CHAIFF YR ESTRON FYTH EIN CONCRO,
BYDD YR ERYR YN HEDFAN YN RHYDD,
RHYW DDYDD, O BYDD.

Ac wrth ddarllen geiriau Falentein
a dewrion Pen-y-Berth,
deallais innau ein colled
gwelais drysorau'n gwlad a'u gwerth;
sylweddolais nad oedd raid i ni ofni
gwrthwynebwyr er cymaint eu rhif
a chofiais am wers fawr y tri i ni:
gall y bychan oresgyn y cry'

'Dan ni wedi diflasu ar gael ein sathru,
o do, gan lawer un,
dw'i wedi blino ar fod yn alltud
a hynny yn fy ngwlad fy hun.
OND FE GODWN ETO,
CHAIFF YR ESTRON FYTH EIN CONCRO,
BYDD YR ERYR YN HEDFAN YN RHYDD
RHYW DDYDD, O BYDD.

Llun cynllun y crys-T efo'r slogan arno

Byddai'r siwrna bob bore o Langwyllog i'r Ffôr ac i Ysgol Hafod Lon yn awr a chwarter o daith. Ar y ffordd byddwn yn gwrando ar y newyddion ar y radio. Cynllunio gwaith i'r plant wedyn, meddwl am brosiectau newydd, creu themâu i'r gwaith cerddorol ac yn y blaen. Byddwn yn gweld yr un bobol bob dydd bron, a hynny yn yr un llefydd a bron yr un amser. Byddwn yn bwyta brecwast yn y car, banana a dau oren bach, a sipian potel o ddŵr. Na, ches i erioed ffein am fwyta yn y car nac am yfed Brecon Carreg wrth yrru.

Fe wnawn sylwi bob amser ar y tywydd a'r tirwedd. Ond ambell dro cawn weld rhywbeth hollol wahanol. Y bore arbennig hwn fe sylwais ar boster mawr yr oedd rhywun wedi ei osod ar goeden anferth y tu allan i dŷ Dafydd Wigley yn y Bontnewydd, neu rhwng Bontnewydd a Dinas, deud y gwir, ar y ffordd o Gaernarfon am Bwllheli. Ac ar y poster trawiadol roedd y geiriau:

FE GODWN ETO!

Doeddwn i ddim yn wybyddus o'r slogan yma ond yng nghyd-destun rhai o gefnogwyr yr FWA, sef y 'Free Wales Army' neu MAC, sef Mudiad Amddiffyn Cymru. 'Slogan herfeiddiol', medda finna wrthyf fy hun. A dweud yn yr un gwynt, 'Chwara teg i'r hogia am feiddio gosod y poster reit wrth dŷ un o arweinwyr amlycaf Plaid Cymru.' Fe deimlais i'r byw y bore hwnnw ei bod yn wir amser i ni GODI ETO!

Newydd fod mewn siop oeddwn i'r penwythnos cynt ym Mangor a rhyw ddynes yn cwyno mod i'n siarad Cymraeg. A chwsmeriaid eraill yn y siop yn edrych arna'i gyda gwg ac yn synnu mod i mor afresymol â gofyn am rywbeth yn Gymraeg yng Nghymru.

> 'Da ni wedi diflasu ar gael ein sathru,
> O do, gan lawer un,
> Dw'i wedi blino ar fod yn alltud,
> A hynny yn fy ngwlad fy hun.

Teimlwn fel y teimlai'r Tejanos yn Texas ar ôl y Rhyfel Mecsicanaidd yn 1846–48. Ac i ddangos hynny y sgrifennodd Juan N. Seguin yr ysgrif enwog 'A Foreigner in my Own Land' yn 1842, a welir yn ei gasgliad o ysgrifau.

Roeddwn i'n teimlo'n union yr un modd, ond hyd yn oed yn waeth gan fod y Cymry wedi troedio'r hen wlad yma ers amser y Rhufeiniaid a llawer cynt. Ni oedd y Brythoniaid a drigai ar Ynysoedd Prydain. Ni oedd y 'True Brits' mewn gwirionedd. A gwyddwn fod llawer iawn o Gymry yn teimlo'r un modd.

Bûm yn chwarae efo'r syniad o greu cân yn mynegi'r teimladau hyn o fod yn estron yn fy mro a'm gwlad fy hun. Cyfeiriais at hanes yn y penillion. Ym mhennill un, at y cyfnod pan ges i glywed gyntaf am Lywelyn ein Llyw olaf a'i ladd drwy law bradwr yn 1282. Ym mhennill dau fe gyfeiriaf at hanes rhyfeddol a glywais yn y Coleg ym Mangor am y tri dewr yn llosgi'r ysgol fomio ym Mhenyberth. Trais yn erbyn eiddo yn unig oedd hwn, nid yn erbyn pobl, hynny'n dangos yn glir y gall 'y bychan oresgyn y cry'. Ac yna'r cytgan yn mynegi'r diflastod o 'gael ei sathru... gan lawer un'. Cofiais yn y gytgan mai Eryr

Eryri oedd symbol y bechgyn a fyddai'n arddel y slogan hon: Yr Eryr yn hedfan yn rhydd.

Doedd yna ddim gobaith mul i'r gân hon gael ei chwarae ar y radio; roedd hi yn rhy eithafol wleidyddol gan y Bîb yn sicr. Ond er hynny dim ond mynegi teimlad Cymro yn ei wlad ei hun oedd hi, a'r ymdeimlad ei fod yn cael ei lyncu gan ddiwylliant a ffordd o fyw oedd yn estron iddo. A deud y gwir rydyn ni'n ffodus fod Radio Cymru ac S4C wedi bod yn fodlon darlledu caneuon gwleidyddol Dafydd Iwan dros y blynyddoedd. Ond efallai mai gweithio'n groes fyddai gwahardd cynnyrch Dafydd Iwan o bawb.

Chlywais i 'mo 'Fe Godwn Eto' ar y radio erioed nac ar S4C chwaith. Ond er hynny fe gydiodd y gân ei hun ar lafar gwlad wrth i ni ei chanu ymhob twll a chornel o Gymru. Pwysig yw dweud fod côr lleol wedi ein helpu ar y recordiad o'r gân hon ar y CD *Y Gorau o Ddau Fyd*. Côr oedd hwn a gâi ei arwain gan Gareth Glyn, sef Lleisiau'r Frogwy. Cytunodd y côr i ddod at Gorwel Owen yn Stiwdio Ein Hoff Le ger Rhosneigr. Roedd Gorwel wedi ein recordio ni lawer tro o'r blaen yn y Stafell Wirion yn Llangwyllog ac yn yr oruwch ystafell uwchben y Swyddfa Bost yn Rhosneigr.

Dynion lleol o ardaloedd canol Môn oedd yn y côr, o barthau Llynfaes, Bodffordd, Llangwyllog, Rhosmeirch, Llangefni a'r cylch. Hogia'r werin oeddynt; Cymry twymgalon. Ac mae hynny i'w glywed yn y recordiad ei hun.

Bu'r Fic yn Llithfaen yn fan pwysig yn nechreuadau'r Moniars, lle da i fand fel ni gychwyn ar ein taith. Roedd hefyd yn le gwych i drio allan gân newydd ac i weld os wnâi hi gydio. Bydda'r dorf yn siŵr o adael i chi wybod os fyddai cân newydd yn da i rywbeth ai peidio.

Yn fuan wedi i mi gyfansoddi 'Fe Godwn Eto!', dyma ei thrio yn y Fic. Er mawr syndod i mi roedd llawer wedi ei dysgu oddi ar y CD ac yn medru ei chanu hi gyda ni bob gair. Yn y Fic fe drodd hi yn gân anthemig a doedd fiw i ni fynd i ganu yno heb ganu 'Fe Godwn Eto!' Fe ailadroddwyd hyn mewn llawer man arall yng Nghymru gan gynnwys Y Gôt ym Mhenygroes, y Ffowndri yn Llangefni a llawer i glwb rygbi yn y de ac yn ardal Cwm Gwendraeth. Y gwir amdani oedd fod llawer o bobl o bob oed yn teimlo'r un fath â mi yn y gân, yn estroniaid yn eu gwlad eu hunain. Rhaid imi gyfaddef i mi dderbyn cyngor gan Sain i newid un gair yn y gân o 'Saeson' i 'Estron', sydd fwy na thebyg wedi golygu'r un peth dros y blynyddoedd o oresgyniad.

Daeth y gân hon yn ffefryn yn y Sesiwn Fawr yn Nolgellau a gwyliau awyr agored eraill ledled Cymru nes iddi beidio bod yn cŵl i fod mor 'in your face', sef ymadrodd Caerdyddiaid am ganeuon gwleidyddol fel hyn. Credaf bellach fod yr 'intelligentsia' sy'n arwain y byd canu cyfoes Cymraeg yn ei gweld yn brimitif ac amrwd i fod mor wleidyddol agored mewn cân. Yn wir, mae llawer o ganeuon gan ieuenctid heddiw yn llawn geiriau diystyr heb fod ynddynt unrhyw neges o fath yn y byd. Trist iawn yw'r datblygiad hwn yn fy marn i mewn amser mor gyfyng ar Gymru.

Yn ystod y recordio yn y stiwdio yn Llanfaelog cawsom y syniad o gael llais yn adrodd y geiriau mewn un darn o'r gân. Roeddwn wedi fy nghyfareddu gan syniad tebyg ar gân gan y Waterboys lle mae un adroddwr yn adrodd darn o farddoniaeth gan W.B. Yeats, 'Come away human child'. Y gân oedd 'The Stolen Child'. Cân ryfeddol a hudolus iawn.

Felly dyma ofyn i Einion a oedd yn y Moniars (offer taro, congas, bongos a bodhran) a fysa fo'n fodlon adrodd rhai o eiriau'r gân tra'r oedd y côr yn canu. Roedd Einion wedi arfer adrodd gyda'i ewythr Charles Williams, Bodffordd a chyda phartïon adrodd amrywiol yn y gorffennol, felly fe wnaeth joban arbennig o effeithiol.

Bydd llawer yn dal i fynnu ein bod ni'n canu'r gân hon ar ddiwedd noson gan fynd yn flin os 'dan ni'n gwrthod. Dw'i wedi dysgu bellach i beidio â gwrthod. Hon yw ein cân anthemig ni fel band, ein 'Yma o Hyd' ni fel petai. Ac yn wir FE GODWN ETO! Ond peidiwn â bod yn rhy hir. Mae amser yn prinhau ar Gymru. Mae'n amser codi, yn wir i chi!

9.

Cariadon Bosnia

Heddiw mi glywa'i'r gynnau'n tanio
Ac mi welaf waed fy mhobl yn llifo;
Heddiw mae 'na saethu ar y stryd,
Pam fod Rhyddid yn codi pris mor ddrud?
Heddiw mae 'na awydd arna'i ffoi
Cyn bod drws ein dihangfa 'di gloi
Heddiw fe gawn ddianc dros y mynydd,
Yn rhywle, fe fydd 'na wawrddydd newydd,
Fe fydd 'na wawrddydd newydd

A heno – ddoi di hefo mi?
Heno, dw'i angen dy gwmpeini,
O heno, ddoi di efo mi?
Fedrai'm wynebu'r nos hebot ti.

Heno, a'r dref i gyd yn fflamau,
Heno, mae mrawd a'm chwaer mewn dagrau,
Heno, mae'r milwyr yn hogi'u harfau,
Pryd o pryd wna'n nhw ddysgu'r wers?
Pryd o pryd wna'n nhw ddysgu'r wers?

A heno – ddoi di hefo mi?
Heno, dw'i angen dy gwmpeini,
O heno, ddoi di efo mi?
Fedrai'm wynebu'r nos hebddo fe.

Y ddau gariad yn farw yn y mwd – Bosnia
Lluniau: NBC News

Y flwyddyn oedd 1992, pan gychwynnodd y rhyfel erchyll ym Mosnia yn Nwyrain Ewrop. Hwn oedd y rhyfel gwaethaf yn Ewrop ers yr Ail Ryfel Byd. Roedd hi'n sefyllfa gymhleth iawn gyda'r Bosniaid Mwslemaidd a'r Croatiaid yn cael eu lladd yn ddidrugaredd gan y Serbiaid. Yn Srebrenica er enghraifft fe laddwyd wyth mil o ddynion ifanc Mwslemaidd o Bosnia. Ac yng nghanol hyn i gyd fe fu rhyfela rhwng y Mwslemiaid o Bosnia a'r Croatiaid, hynny'n gwneud y sefyllfa'n waeth fyth eto. Tybiai pobol Ewrop fod dyddiau'r 'concentration camps', sef gwersylloedd cystuddio carcharorion rhyfel, ar ben ar y pryd. Ond mae atgasedd a drygioni yn dal ymhlith dynoliaeth, ac yn debyg o bara am byth, yn anffodus.

Un o'r ychydig weithredoedd a gyflawnodd Tony Blair yn gywir yn y cyfnod anodd hwn yn Ewrop oedd ymyrryd yno gan gyrchu pobl yn eu cannoedd i ddiogelwch a hefyd i annog NATO i amddiffyn pobl Bosnia. Yn wir, mae sawl bachgen wedi ei henwi ar ei ôl. 'Tonibler' oedd yr enw a roddwyd ar lawer bachgen bach yng ngwledydd y Balkan, i gofio ymyrraeth Blair, gweithred a arbedodd gymaint o fywydau. Ond yn anffodus taflodd ei benderfyniad annoeth ar Irac gysgod tywyll dros ei holl yrfa fel Prif Weinidog gwledydd Prydain.

Yn ystod yr helyntion hyn i gyd, gyda milwyr y Serbiaid yn lladd a gorthrymu mewn llawer gwlad fach fel Kosovo, Bosnia, Croatia a Macedonia, anodd oedd deall yn iawn beth oedd yn digwydd. Llosgwyd cartrefi miloedd o bobol a'u gyrru ar wasgar i fod yn ffoaduriaid. Mwslemiaid oedd y rhan fwyaf o'r rhain o wledydd bychain yn ardal y Balkan yn Nwyrain Ewrop.

Doeddwn i erioed wedi cyfarfod â ffoaduriaid o'r blaen hyd nes y cefais i wahoddiad yn 1993 i ganu i grŵp o ffoaduriaid o Bosnia. Doeddwn i chwaith erioed wedi clywed am Bosnia o'r blaen nac am y trafferthion yno rhwng yr holl garfannau gwahanol. Trodd y Serbiaid yn erbyn y Mwslemiaid a oedd wedi dianc o Albania flynyddoedd ynghynt ac yn erbyn y Croatiaid hefyd. Ond fe drodd y Croatiaid yn erbyn y Mwslemiaid druain yn nes ymlaen.

Mwslemiaid o Bosnia oedd y ffoaduriaid yma a ddaeth i Ynys Môn rywsut neu'i gilydd yn 1993. Roedd golwg eithriadol o ofnus arnynt. Er y caredigrwydd a ddangoswyd iddynt yn yr hen ysgoldy ger Traeth Lligwy, ymddangosent yn hynod hiraethus a phoenus, y trueiniaid bach, ac yn gwbl ddiobaith.

Peth rhyfeddol ydi cerddoriaeth, ac fe welwyd hyn yn ystod y sesiwn hollol unigryw hon. Roedd y ddau 'musketeer' arall efo fi, Richard, y sacsaffonydd dall ac

Einion, fy nghyfaill cerddorol hoff cytûn ers blynyddoedd maith. Mini Moniars oeddan ni!

Cofiaf yn arbennig wyneb un bachgen tua 12 oed oedd yn ceisio gofalu am ei frawd bach a'i gysuro mewn lle mor ddieithr. Roedd eu rhieni wedi eu saethu'n farw yn y rhyfel yn Sarajevo. Fe lenwai'r hiraeth ei lygaid ac ni allai wenu.

Dyma ni'n dechrau chwarae a chanu caneuon yr oeddent o bosib yn eu gwybod neu o leiaf wedi eu clywed o'r blaen. Gan fy mod wedi bod mewn llawer jam cerddorol ar hyd a lled Ewrop gwyddwn fod caneuon y Beatles a Simon and Garfunkel a'u tebyg yn hynod boblogaidd ac adnabyddus. Roedd y rhan fwyaf o ieuenctid Ewrop yn gwybod y geiriau'n dda ac yn medru ymuno i ganu yn hwyliog.

Dwi'n casáu'r ffaith nad ydyn ni'n rhan o hyn mwyach, a'n bod ni wedi ein gorfodi i fynd yn ynysig oherwydd y Brexit felltith. Roedd yr undod Ewropeaidd yn beth hollol wych a gwerthfawr. Beth bynnag, roeddwn wedi dod â hen lyfrau caneuon y saithdegau efo fi ac am fentro i'w canu nhw gyda'r trueiniaid hyn. Fe wnaethant oll ymuno yn hwyliog, a rhai hyd yn oed yn dawnsio i hen glasuron roc a rôl fel 'Rock Around the Clock' gan Bill Haley ynghyd â 'She Loves You', 'Let it Be' a 'Hey Jude' gan y Beatles. Ac wrth gwrs, 'Homeward Bound' gan Simon and Garfunkel. Er na allent siarad Saesneg, fe wnaeth y canu gnesu eu calonnau, ac am awr o leiaf eu helpu i anghofio'r sefyllfa ddirdynnol adref ym Mosnia.

Wna'i byth anghofio'r noson honno. Doedd gen i ddim byd i'w roi iddyn nhw, dim gair o gysur, dim rhoddion dibwys ac arwynebol; doedden nhw ddim eisio arian.

Roedden nhw angen rhywbeth mwy na hynny. A'r unig beth oedd gan y tri ohonon ni i'w roi oedd ein canu a'n croeso iddynt drwy ganeuon a miwsig hwyliog. Fe gofiaf wyneb yr hogyn bach 12 oed tra bydda'i byw, a diolch am gael bod yn rhan o'r digwyddiad arbennig hwn. Wn i ddim i ble yr aethant wedi hynny. A wnaethon nhw aros ym Môn gyda theuluoedd nes oedd hi'n saff i fynd adref? Wel gobeithio'n wir, ynde?

Ychydig fisoedd wedyn, a'r cyfarfyddiad hwn yn dal yn fyw yn fy nghof, clywais yr hanes angerddol a ysbrydolodd y gân hon, 'Cariadon Bosnia'. Un o'm caneuon gorau meddai Meilyr Wyn, fy mab. Ac os ydi o'n deud hynny, yna mae'n rhaid ei fod o'n wir!

Mis Mai 1993 oedd hi yn Sarajevo yn Bosnia-Herzegovina. Roedd dau gariad yn byw yno, y ddau wedi bod yn gariadon ers dyddiau ysgol uwchradd. Admira Ismic oedd y ferch a Bosko Brkic oedd y bachgen, y ddau yn 25 oed. Doedd y ffaith fod Admira yn dod o'r traddodiad Mwslemaidd a Bosko yn Serb o Babydd yn poeni dim arnynt, ac yr oedd eu teuluoedd yn hapus â'r garwriaeth hefyd.

Roeddent yn hapus yn eu perthynas ac yn gobeithio cael priodi. Ond daeth cwmwl du y rhyfel drostynt ac fel y cofiwn, yr oedd Sarajevo dan warchae difrifol. Am ryw reswm roedd y Serbiaid wedi gosod sneipars ar hyd a lled y dref. Eu bwriad oedd saethu unrhyw un a fyddai'n mentro allan i'r stryd ar eu ffordd i'r siop hwyrach neu i'w gwaith. Lladdwyd yn agos at 12,000 o bobol yn Sarajevo yn unig. Yn eu plith roedd y ddau gariad arbennig hyn.

Roeddent wedi bod yn gariadon ers 1984, yn ôl mam

Admira, Neva. Dywedodd iddynt gusanu am y tro cyntaf ar yr union adeg ag y daeth Gemau Olympaidd y Gaeaf i Sarajevo. Ychwanegodd nad oedd unrhyw waharddiad ar y berthynas oherwydd crefydd. Roedd y ddau deulu yn parchu eu gwahaniaethau, meddai, 'Yn wir, rydan ni'n dal mewn cysylltiad agos â theulu Brkic ar ôl yr holl flynyddoedd.' Galarai'r ddau deulu am y fath golled ddisynnwyr a diangen.

Llun yn aml sy'n fy ysbrydoli a'm sbarduno i gyfansoddi cân. Cyhoeddwyd llun yn y papurau newydd yma yng Nghymru yn dangos dau gorff ar bont arbennig yn Sarajevo. Pont Vrbanja oedd hi, pont beryglus iawn bryd hynny gan fod sneipars ar bob ochor iddi yn saethu at unrhyw un a geisiai ddianc o'r dref. Roedd hwn yn llun dirdynnol, hynny yn syml am y ffaith mai llun moel iawn ydoedd yn dangos dau gorff marw ar y llawr yn cofleidio'i gilydd mewn angau. Daeth y llun yn enwog drwy'r byd, hynny nid yn unig am fod dau wedi eu saethu wrth geisio dianc i ryddid. Dwysawyd y digwyddiad am fod cyrff y ddau wedi gorfod cael eu gadael ar y bont am ei bod yn llawer rhy beryglus i neb eu symud heb iddynt hwythau gael eu saethu.

Felly daeth y llun o'r ddau gariad ar y bont yn Nhir Neb am saith diwrnod yn symbol o Gariad, yn dioddef pob peth. Ac yn symbol hefyd o'r angen am heddwch. Wedi'r cyfan, roedd y ddau yma a oedd yn gelain yn y llaid yn crisialu'r sefyllfa o ddwy garfan wahanol a allai, gyda goddefgarwch, fyw yn gariadus a hapus gyda'i gilydd. Cafodd y ddau ar y pryd eu cymharu â Romeo a Juliet y cyfnod modern. Ond gwrthodai Radmilla, mam y bachgen, y gymhariaeth honno. Yn yr achos hwn doedd yna ddim gwaharddiad teuluol i'w perthynas. Felly doedd y gymhariaeth ddim yn dal dŵr, meddai.

Yn y gân hon mae'r bachgen yn cyfarch y ferch ac yn dweud yn eofn:

> Heno, ddoi di efo mi?
> Heno, dw'i angen dy gwmpeini.
> O heno, ddoi di efo mi?
> Fedrai'm wynebu'r nos hebddot ti.

Dyma beth a welwn yn y llun, y paratoi i ddianc a'r gobaith am yfory newydd a gwell. Ysfa ieuenctid am ryddid rhag rhyfeloedd a phoen, a gobaith am gael darganfod man heddychlon a hapus i fyw ynddo. Dyhead yn cael ei ddarnio gan ddinistr dyn a chreulondeb pobl at ei gilydd dros y canrifoedd.

Am fod eu cyrff wedi eu gadael ar y bont am saith diwrnod heb eu cyffwrdd bu'r llun yn gyfrwng i ddeffro'r byd gorllewinol i'r sefyllfa echrydus. Yn union fel y Cymro hwnnw Philip Jones Griffiths a agorodd lygaid y byd i erchyllterau rhyfel Fietnam drwy ei luniau ffotograffig. Bu ei luniau yn allweddol mewn troi llanw barn y cyhoedd yn yr Unol Daleithiau yn erbyn y rhyfel hwnnw. Felly hefyd y llun hwn, gyda daioni yn deillio o ddigwyddiad trychinebus ac yn help i orfodi arweinwyr y byd i ddarganfod yr ateb ar sut i ddod â heddwch i Bosnia.

Fe ganodd Linda Griffiths y gân hon yn rymus iawn ac yn hynod ystyrlon ac effeithiol ac yr albwm *Plant y Môr*, sy'n cynnwys pymtheg cân. Cyfrinach y gân yma o ochor cyfansoddi yw'r ffordd mae'r gerddoriaeth yn newid i gord annisgwyl ar y ddau air cyntaf o'r cytgan: 'A heno...' Mae'r newid yma yn 'gwneud' y gân yn fy marn bitw i. Mae'r penillion yn llawn ofn a phryder am yr hyn a allai ddigwydd. Rhyw deimlad iasol fel a geir yng nghân 'Y Cwm' gan Huw Chiswell lle mae o'n gweiddi allan, 'I be...?' yn iasol iawn. Yna mae yna addfwynder yn yr alwad i ddianc o'r uffern ddaearol i le gwell reit yn nechrau'r gytgan, a'r datganiad o ofn:

Fedrai'm wynebu'r nos hebddot ti.

Rhaid i ni fentro i ddianc gyda'n gilydd neu ddim o gwbwl. Cwlwm a ffydd cariad yn dod â dewrder mawr allan o bobol ofnus. Dywedir fod y ferch ifanc Islamaidd, er iddi gael ei saethu, wedi llusgo ei hun ar hyd y llawr i gofleidio corff Bosko, ei chariad, cyn iddi hithau hefyd farw. Daeth y ddau ohonynt, diolch i'r llun dirdynnol, yn symbolau o gariad a fedr oresgyn erchyllterau ym merw rhyfeloedd disynnwyr.

10.

Richie ac Ifan

Gweithiodd y ddau yn y chwarel ers yn bedair ar ddeg
A hwythau'n fechgyn cryfion, glân a theg,
Yn hogia diwylliedig, wrthi'n naddu'r llechi o'r graig,
Rhai fel hwy oedd asgwrn cefn gwlad y Ddraig.

Buont yn ymladd byddin Twrci ym mhendraw'r byd,
Ond Llanberis oedd yn agos at eu c'lonnau hwy o hyd
Yn y Dardanelles fe laddwyd Ifan, do yn gelain i'r llawr,
Ac fe saethwyd Richie druan yn fuan cyn y wawr.

Ac fe'u galwyd hwy i ymladd,
O do yn y Rhyfel Mawr,
Ond rwy'n cofio am Richie ac Ifan,
Cofio am Richie ac Ifan,
Cofio am Richie ac Ifan
A'u tebyg, yn awr.

Wylodd eu mam nes na allai wylo mwy,
A dywedwyd na wellodd amser fyth mo'i chlwy,
A cholled enfawr i Gymru oedd colli rhai fel hyn,
A phe na bai rhyfel, fe fyddem yn rhydd erbyn hyn.

Ac fe'u galwyd hwy i ymladd...

A melltith ar Lywodraeth Lloegr
Am eu gyrru hwy i'r Rhyfel Mawr,
Ond rwy'n cofio am Richie ac Ifan,
Cofio am Richie ac Ifan,
A'u tebyg yn awr.
Cofio, cofio, cofio.

Dau frawd fy nain

Dyma gân arall a ysbrydolwyd gan lun arbennig. 'Be di llun y dau ddyn yma?' gofynnais i Nain Llanbêr un tro. Nain-flin oeddwn i a'm mrawd yn ei galw. Doedd fiw i ni symud yn nhŷ'r nain hon, neu fysa yna ffrae yn syth. Ond roedd hi'n gallu bod yn glên weithiau, yn enwedig pan fyddwn i'n chwarae'r piano iddi hi ac Anti Rosie, ei chwaer.

Dwi'n siwr fod Nain Llanbêr, mam fy nhad gyda llaw, wedi cael bywyd caled iawn a dyna pam y byddai hi braidd yn flin. Beth bynnag am hynny, be am y llun?

'Wel,' medda Nain, 'dau frawd i mi 'di rheina a gafodd eu lladd yn y Rhyfel Cyntaf.'

Roedd ei llygaid yn llenwi wrth sôn amdanynt. Ond fel

hogyn llawn chwilfrydedd, fe holais fy nhad yn nes ymlaen mewn bywyd, a chael gwybod fod y ddau fachgen cryf a smart yn y llun yn rhai go arbennig.

Roedd y ddau yn bryd-golau fel finnau a'r llun ohonynt wedi ei gymeryd yn yr Aifft wrth i'r fyddin baratoi i ymosod ar Dwrci. Roedd lliw haul hardd ar eu hwynebau glandeg. Bu'r ddau yn gyflogedig yn y chwarel yn Llanberis ers yn 14 oed; y ddau hefyd yn weithwyr caled a diwyd yn ôl y sôn.

John a Mary Parry oedd eu rhieni, a thrigent yn Llain Wen, Llanberis. Bechgyn diwylliedig oedd y ddau, yn trafod barddoniaeth a syniadaeth yn y chwarel, ynghyd ag undebaeth a gwleidyddiaeth wrth gwrs. Ond roedd canu hefyd yn bwysig iawn iddynt, medda Nhad. Roedd Nhad yntau o'r un cefndir yn union, wedi gweithio yn y chwarel ers yn 14 oed, yn hoffi canu yn arw. Ac yna'n cael ei alw i'r rhyfel, i'r Ail Ryfel Byd yn ei achos ef. Fe'i galwyd i'r Awyrlu i drwsio awyrennau, gan ei fod yn beiriannydd da.

Y stori fawr yn yr hanes hwn yw fod Jane Parry ar ôl clywed am golli ei meibion annwyl wedi wylo cymaint nes difrodi ei dwythell dagrau. Taerai llawer na fedrodd wylo byth wedyn. Hon oedd y rhan o'r stori a rannodd fy nhad gyda mi lawer tro, y rhan fwyaf dirdynnol.

Galwyd y ddau frawd ar yr un pryd i'r Rhyfel Cyntaf, i'r Ffiwsilwyr Cymreig Brenhinol yn ôl y sôn. Ond yn anffodus fe'u danfonwyd hwy i bellteroedd byd, i Dwrci. Nid ar wyliau moethus ond i frwydr Gallipoli ac i'r Dardanelles. Yn 1915 oedd hyn gydag ymgyrch gan Loegr a'r Ffrancwyr i ennill sianel 38 milltir y Dardanelles a oedd dan reolaeth Twrci. Pam ar y ddaear oedd angen ymosod ar Dwrci, dwedwch? Roedd y rhyfel yn erbyn yr Almaen yn ddigon o gowlad erchyll ynddo'i hun.

Wel, meddiannu Constantinople oedd y nod. Roedd Prydain wedi bwriadu ymosod yn 1904 ac yna yn 1911. Ond roedd y fath dacteg yn cael ei chyfri yn rhy beryglus ac anodd. Gyda help y Ffrancwyr roedd yn fwy posibl yn eu golwg a dechreuwyd ar yr ymgyrch a gostiai filoedd o fywydau yn Nhachwedd 1914. Bu'n frwydr waedlyd a bu'n rhaid galw byddinoedd o Awstralia a Seland Newydd yn ogystal â Ffrainc i'r adwy.

Ond methiant fu'r holl ymgyrch yn Gallipoli. Roedd Winston Churchill yn cefnogi'r ymgyrch i'r carn. Ar y pryd roedd yn Brif Arglwydd y Llynges, enw crand iawn ond penderfyniad hollol dwp. Doedd gan y bechgyn o Gymru a rhannau eraill o'r ymerodraeth ddim gobaith o gwbwl.

Fe laddwyd Ifan Parry yn fuan iawn yn y brwydro, a danfonwyd neges adref i Lanberis i ddatgan y ffaith i'w rieni. Bu hon yn ergyd enfawr i John a Mary Parry a bu galaru mawr. Ond rai wythnosau wedyn, a Richie a milwyr eraill o Gymru yn dychwelyd mewn cwch ar hyd afon y Dardanelles fe saethwyd y mab arall gan sneipar o'r lan. Roedd Richie yn sefyll ar ochr y gwch yn yr awyr agored. Roedd newydd ddanfon llythyr i'w rieni i ddweud ei fod ar ei ffordd adref. Gallwch ddychmygu'r galaru dwbwl hwn a'r modd y lloriwyd y fam i'r fath raddau fel na allai ddod ati ei hun tra byddai byw. Dyma'r hanes a gefais gan fy nhad, Eric Wyn Humphreys, am y golled tu hwnt i ddagrau a ysbrydolodd y gân hon.

Sul y Cofio oedd hi yn 1994, a disgwyl i brifathro'r Ysgol Gynradd fynd i'r seremoni gan fod dau gynrychiolydd o'r dosbarth hynaf yn arferol yn cyflwyno torch o flodau wrth y gofeb efo cynrychiolwyr eraill yn nhref Biwmares ar Ynys Môn. Roedd yn benderfyniad anodd i mi gan nad oedd Sul y Cofio erioed wedi bod yn bwysig yn ein tŷ ni. Fyddai fy nau daid na nhad byth yn mynd ar gyfyl y digwyddiad: yn achos un taid, sef Taid Llanbêr, am ei fod wedi bod yn y Rhyfel Cyntaf a darnau o'i gorff yn dal ar faes y gad. Roedd o'n gloff ac mewn caliper ar hyd ei oes ar ôl brwydro yn Fflandrys a meysydd rhyfel eraill. Fyddai o byth yn sôn am y rhyfel gan fod yr atgof o'r hunllef yn ormod. Yr un modd fy nhad, wedi bod yn yr Awyrlu a gweld degau ar ddegau o hogia ifanc yn marw a neb i'w claddu. Fyddai dim gair am y rhyfel gan Eric i ni fel plant. Melltith o beth oedd rhyfel yn ei olwg ef. Ni chofiaf iddo erioed fynd ar gyfyl y gofeb yn Llanfairpwll. Roedd yr atgof yn ormod ac yn rhy giaidd.

Roedd Taid Gwalchmai wedyn yn gymeriad hollol wahanol. Dyn cryf a chadarn oedd hwn. 'Rhyfel John Bull di hwn,' meddai am y Rhyfel Byd Cyntaf, 'dim byd i'w wneud â ni yng Nghymru. Y teulu brenhinol di ffraeo efo'i gilydd a dim arall.' A dyma Taid a'i ffrind yn cael eu galw i ymuno â'r fyddin ac i archwiliad meddygol yng Nghaergybi. Ar y ffordd yno bu iddynt fwyta bar o sebon carbolig yr un.

Erbyn cyrraedd yr archwiliad roedd eu hwynebau wedi troi'n gymysgedd o wyn a gwyrdd, a golwg dychrynllyd arnynt. Methodd y ddau'r archwiliad meddygol. Penderfynwyd fod y ddau'n rai sâl, eu calonnau'n carlamu a'u pwysedd gwaed fyny yn yr entrychion. Mewn gwirionedd, dyma ddau o ddynion mwyaf ffit y pentre! Brolient eu bod nhw, hogia Gwalchmai, yn gryfion go iawn. Ond yn lle mynd i'r Ffrynt i ganol uffern y rhyfel cawsant weithio ar y tir fel rhan o'r 'War Effort'.

Felly roedd mynd i ddathliad militaraidd yn tynnu'n groes i nghalon a'm enaid innau. A fuaswn yn gwisgo pabi gwyn yn lle un coch ta beth? Cefais hyd i fathodyn catrawd fy nhaid, a gyda'r bathodyn hwnnw roedd bathodyn rhyfeddol. Un arian oedd hwn â llun dwy law yn torri reiffl yn ei hanner. Roedd hwn yn ddryll tebyg i'r un a ddefnyddiai fy Nhaid Llanbêr yn Ffrainc yn ystod y Rhyfel Mawr.

Gwisgais y bathodyn hwnnw, a llawer o Gynghorwyr ym Miwmares wrth eu bodd yn ei weld ac yn holi am ei darddiad gan ei fod yn edrych yn hen. Dywedais innau yn glir, 'Dyma fathodyn fy nhaid Jac Wmffras o Lanberis, a'i adwaith i'r Rhyfel Cyntaf ar ôl bod ynddo.' O dan fy anadl cenais eiriau fy nghân:

A melltith ar Lywodraeth Lloegr
Am eu danfon hwy i'r Rhyfel Mawr,
Ac rwy'n cofio am Richie ac Ifan
A'u tebyg yn awr.

A dyna'r gair allweddol yn y cytgan; nid dim ond sôn am ddau frawd fy nain ond cynnwys y cyfan o'r hogia a gollwyd. Hynny drwy ddefnyddio dau air yn gynnil, 'a'u tebyg'. Mae'n rhan bwysig iawn o'r gân drwy gynnwys pawb a gollodd unrhyw berthynas neu gydnabod yn y rhyfel erchyll hwnnw.

Cofiaf yn yr ysgol uwchradd gyda'm athro Cymraeg penigamp R. Arwel Jones, Rhosgadfan, astudio cerdd am ddau frawd dawnus a chlyfar o Gwm Pennant a laddwyd hefyd yn y Rhyfel Mawr.

Y ddau dan y marmor gwyn.

Ac ers yn bymtheg oed fe wyddwn y byddai Cymru wedi bod yn wahanol wlad petaem heb golli cymaint o'r hogia, y byddai amryw ohonynt wedi medru bod yn arweinwyr y dyfodol. A dyna pam y mynegais y teimlad hwnnw yn y trydydd pennill:

Colled enfawr i Gymru oedd colli rhai fel hyn,
A phe na bai rhyfel, fe fyddem yn rhydd erbyn hyn.

Yn sicr i chi roedd 'Home Rule' Keir Hardie o'r Alban a Tom Ellis a Rhyddfrydwyr Cymru ar y cardiau bron iawn ar drothwy'r rhyfel. Ond oherwydd y gyflafan erchyll fe anghofiwyd am y fath syniad. Roedd perswâd yr Ymerodraeth Brydeinig yn y cyfnod ar ôl y rhyfel, yn anffodus, yn rhy gryf. Dim ond dewrion Iwerddon a feiddiai wrthwynebu'r Ymerodraeth Fawr ac ennill rhyddid rhannol yn y cyfnod jingoistaidd hwnnw.

Diolch yma eto i Jonesy, a oedd yr unig un a feiddiai chwarae'r gân hon ar y radio. Fel y dywedais o'r blaen, roedd ganddo'r rhyddid i ddewis ei ganeuon ei hun i'w chwarae ar ei raglen. Nid oedd yn gaeth i'r 'play-list' bondigrybwyll. Dwedodd Eifion wrtha'i lawer tro fod y gân yma yn un o'i ffefrynnau. Ond dw'i ddim yn meddwl fod y geiriau ar ddechrau'r cytgan yn mynd lawr yn dda gan y BBC, a deud y gwir.

A melltith ar Lywodraeth Lloegr
Am eu danfon hwy i'r Rhyfel Mawr.

II.
Cae o Ŷd

Tân gwyllt ar draws y ddaear,
Pennod newydd wedi dod,
Fe aeth canrifoedd heibio
Ac fe gafodd rhai eu clod;
Bu rhai yn taenu creulondeb,
Eraill yn medi o'u ffydd,
'Di'r ddrama byth yn newid
Ond 'r actorion sy'n newydd.

Ac mae sŵn y gynnau'n tanio'n
Dal i'w clywed yn y nos,
Cri'r newynog mewn anial dir
Yn galw arnom, 'Dos,
Dos i blannu hadau gobaith
Ar hyd a lled y byd,
A gweithio nes y tyfant
Fel cae yn llawn o ŷd,
Fel cae yn llawn o ŷd.'

A dathlu wnaeth y bobl,
Mil blynyddoedd ddaeth i ben
Ac ymhob cwr o'r blaned
Roedd pawb am gael agor y llen,
Ond yr un yw'r anawsterau,
Yr un yw'r drwg yn y bôn,
Rhaid golchi'r gwenwyn allan
Os am wella yr ydan ni'n sôn.

Am fod sŵn y gynnau'n tanio...

Dim ond i ti a minnau
Hau un hedyn yn awr,
'Mhen gwanwyn o flynyddoedd
Fe fydd cynhaeaf mawr.

Er bod sŵn y gynnau'n tanio'n
Dal i'w clywed yn y nos,
Cri'r newynog mewn anial dir
Yn galw arnom, 'Dos,
Dos i blannu hadau gobaith
Ar hyd a lled y byd,
A gweithio nes y tyfant
Fel cae yn llawn o ŷd.'

Awn i blannu hadau gobaith
Ar hyd a lled y byd,
A gweithio nes y tyfant
Fel cae yn llawn o ŷd,
Fel cae yn llawn o ŷd.

CAE O ŶD Cân i Gymru – Cân i Ethiopia

gyda Martin Beattie, Arfon Wyn, Moniars,
Linda Healy a Pererin

Martin Beattie

Pan oeddwn i yn yr ysgol gynradd yn Llanfairpwll fe ddysgodd fy athro, Mr Dewi Jones, lawer o ddywediadau Cymraeg cyfoethog i mi. Un o'r rhai y cofiaf ei ddysgu yw: 'Ni cheir y melys heb y chwerw'. A dyna'r teimlad sydd gen i wrth edrych yn ôl ar yr hanes y tu ôl i'r gân hon.

Roedd hi'n Ionawr 2000 ac yn gychwyn Mileniwm newydd a theimlais fod angen cân am hynny ar gyfer Cân i Gymru 2000. Felly fe es ati i gyfansoddi cân fyddai'n dathlu cyfnod newydd yn hanes y byd, gan obeithio y byddai'n gân deilwng.

Ar y gitâr wnes i gyfansoddi hon fel mae'n digwydd, er mai ar y piano y byddaf yn cyfansoddi'r rhan fwyaf o'm caneuon. Roedd y dathlu mawr newydd fod, a choelcerthi tân gwyllt yn dathlu'r achlysur ar hyd a lled y byd. Roedd optimistiaeth am gychwyn cyfnod newydd a gobaith newydd i ddynoliaeth. Roedd rhai yn darogan y gwnâi pethau od ddigwydd fel y 'Millenium Bug', a fyddai'n difetha systemau cyfrifiadurol ym mhob man yn y byd datblygedig. Ond er y proffwydo croch, ni ddigwyddodd y drychineb o gwbl.

Yn wir, wrth feddwl am ddathlu'r Mileniwm newydd a'r gobaith am bethau gwell roedd yna rwbath yn dweud wrtha'i tu fewn mai'r un fath fyddai pob dim. Ni fyddai dynoliaeth yn y bôn yn newid yn ei hanfod nac yn dysgu gwersi chwaith.

> 'Di'r ddrama byth yn newid,
> Ond yr actorion sy'n newydd.

Ond eto, rhaid oedd dal i drio, dal i geisio cyfiawnder a thegwch yn ein byd, a newid er gwell. Ond wrth edrych ar hanes, cawn fod dynoliaeth yn aml yn gwella rhai pethau mewn un genhedlaeth ac eto yn gwaethygu mewn mannau eraill. Fel dywed yr hen wireb am fyd y ffair: 'Be ti'n golli ar y swings, ti'n ennill ar y rowndabowts.'

Wel dyna ddigon o athronyddu am y tro beth bynnag. Wrth deithio i'r gwaith yn Ysgol Gynradd Biwmares roeddwn i'n ddigon ffodus i basio drwy bentref bychan Llansadwrn. Ac wrth ddod lawr yr allt o'r pentref i gyfeiriad Biwmares roedd dau gae hyfryd ac eang ar draws y ffordd i'w gilydd. Caeau yn perthyn i fferm y Cremlyn oedd y rhain. Fe dyfai'r ffermwr, Richard V. Jones gnwd o ŷd yn y caeau hyn bob blwyddyn, un ai yn y cae ar y chwith neu'r un ar y dde bob yn ail. Byddai'r gwynt yn cribo'r ŷd fel tonnau'r môr, a minnau'n dotio yn y boreau ar olygfa mor hardd. A hyd yn oed wedi'r cynhaeafu fe fyddai harddwch newydd i'w weld wrth i'r gwyddau o Ganada ddisgyn ar y caeau hyn i fwyta'r lloffion, sef yr ŷd oedd ar ôl. Yr olygfa odidog hon ar dir Môn a'm hysbrydolodd i sgrifennu'r cytgan:

Ac mae sŵn y gynnau'n tanio'n
Dal i'w glywed yn y nos,
Cri'r newynog mewn anial dir
Yn galw arnom 'Dos,
Dos i blannu hadau gobaith ar hyd a lled y byd
A gweithio nes y tyfant
Fel cae yn llawn o ŷd.'

Dyma fynd i dŷ Richard Synnott efo'r gân yn fy mhen. Ac er bod Rich yn ddall, mae o'n well ar bethau technegol o lawer na fi, yn enwedig parthed recordio cerddoriaeth. Richard Gizmos fyddai'n ei alw fo yn aml neu Inspector Gadgets. Bydd wrth ei fodd yn recordio fy nghaneuon a rhoi ychydig o biano a sacsoffon ar ben y recordiad ac weithiau cynnig trefniant diddorol i'r caneuon. Rydan ni wedi recordio degau o ganeuon efo'n gilydd dros y blynyddoedd.

Bydd pobol yn gofyn i mi yn aml be fydd yn dod gyntaf, y geiriau neu'r gerddoriaeth? Does dim rheol bendant, a deud y gwir. Gan amlaf yr alaw ddaw i mi, ond dro arall fel efo'r gân hon, y geiriau fydd yn dod gyntaf. Ar achlysuron prin, daw'r alaw a'r geiriau efo'i gilydd. Byddaf yn amlach na pheidio yn defnyddio dull enwog Paul McCartney o greu alaw efo geiriau nonsens i ddechrau ac yna geiriau go iawn yn nes ymlaen. Efo 'Cae o Ŷd', y geiriau ddaeth gyntaf ac yna dyma ffurfio alaw iddi ar y gitâr.

Roeddwn i'n hapus efo'r geiriau oedd wedi dod i mi dros gyfnod byr. Roedd dechrau cân efo'r geiriau, 'Tân gwyllt ar draws y ddaear' yn mynnu hawlio sylw'r gwrandäwr yn syth. Ac mae hynny'n beth da bob amser i gyfansoddwr caneuon.

Roedd y gystadleuaeth y flwyddyn honno yn cael ei recordio yn Llangollen, yn y babell oedd wedi ei chodi ar gyfer yr Eisteddfod Ryngwladol yn y dref. Cafwyd casgliad o ganeuon gwych iawn yn fy marn i, caneuon sydd wedi dal eu tir hyd heddiw, a byddai pob un wedi medru ennill y gystadleuaeth.

Fel y dwedais o'r blaen, yr unig reswm yr oeddwn yn gyson yn cystadlu ar gyfer Cân i Gymru oedd am nad oedd hi'n bosib i'ch caneuon gael eu clywed gan y cyhoedd os nad oedd Radio Cymru yn eu cynnwys ar eu 'play list'. Ond o ennill Cân i Gymru, ni fyddai ganddynt fawr o ddewis!

Martin Beattie o Fethesda gafodd ei ddewis i ganu'r gân, ac wedi i mi glywed ei berfformiad, roeddwn i'n hapus iawn gan ei fod yn ei chanu yn union fel yr oeddwn wedi dymuno iddi gael ei chanu. Mae llawer wedi canu'r gân hon wedi hynny ond ni chredaf i neb wella ar berfformiad Martin a'r ffordd y gwnaeth ei chanu yn Llangollen ac ar y recordiad yn nes ymlaen.

Melys iawn oedd ennill y gystadleuaeth yng nghanol cymaint o ganeuon da. Ond hyd yn oed ar y noson, roedd rhyw anniddigrwydd yn y gwynt. Doedd y system bleidleisio i'r cyhoedd ddim wedi gweithio'n iawn, a dyna ddechrau gofidiau. Roeddwn i wedi bod ar y llwyfan fel enillydd ac wedi derbyn yr amlen aur gan Dafydd Du, amlen a oedd gyda llaw yn wag, Ha! Ond doeddwn i ddim yn disgwyl yr holl halibalŵ ar ôl yr ennill.

Bu trafod ciaidd yn y wasg. Haerwyd fod angen ail-gynnal y gystadleuaeth a bod y system bleidleisio yn warth ar S4C ac yn y blaen. Roeddwn i'n dechrau difaru 'mod i wedi ennill, ac yn nes ymlaen yn difaru 'mod i wedi ymgeisio o gwbl. Ym mêr fy esgyrn roeddwn i wedi meddwl o'r cychwyn fod y wobr o £10,000 yn llawer rhy fawr am ddim byd mwy na sgwennu cân. Doedd dim ond trafferth i'w gael wrth ystyried y fath swm. Roeddwn i wedi penderfynu rhag blaen, petawn i'n ddigon ffodus i ennill, y byddwn yn rhoi siâr deg i Martin wrth gwrs, ac i Richard am recordio'r gân yn y lle cyntaf. Ac yna efo'r arian fyddai ar ôl, sefydlu fy label fy hun ar gyfer artistiaid newydd a thalentog. Clywais lawer llais ifanc a haeddai gael ei recordio dros y blynyddoedd. Ond nid felly y bu, yn anffodus.

Daeth rhyw ymosodiad anhysbys newydd o gyfeiriad y BBC yng Nghaerdydd. Dywedodd Oscar Wilde yn un o'i fyfyrdodau doeth yn *The Picture of Dorian Gray*: 'A man cannot be too careful in his choice of enemies.' Fe wnaeth Mam, druan, draethu'n wahanol ar hyd fy mhlentyndod: 'Bydd ofalus pwy wyt ti'n ei ddewis fel dy ffrindiau.' Dyna a ddwedai hi. Yn fy naïfrwydd doeddwn i ddim erioed wedi ystyried y fath bosibilrwydd â 'dewis gelynion'. Ond Wilde oedd yn iawn. A dyma'r cyngor a roddaf innau i rywun ifanc.

Ro'n i wedi amau ers blynyddoedd fod gen i elyn cudd yn y BBC yng Nghaerdydd. Ac wrth edrych yn ôl gwelaf yn glir ôl ei ddifrod. Ond ar y pryd efo gwynt optimistiaeth a brwdfrydedd ieuenctid yn eich hwyliau, tydi rhywun ddim yn sylwi ar elynion nes ei bod hi'n rhy hwyr.

Beth bynnag i chi fe ddaeth saeth ddienw i drywanu a difetha ennill Cân i Gymru gyda 'Cae o Ŷd', honno'n saeth annisgwyl. Ac ar ben y miri pleidleisio yn gynharach, roedd rhywun dienw o staff y BBC yn mynnu fod cytgan 'Cae o Ŷd' yn swnio'n debyg i gytgan cân grŵp arall. Creodd hyn ddrwg mawr yn y caws ac roeddwn wedi cyrraedd pen fy nhennyn.

Bu'n rhaid i mi dalu am wasanaeth arbenigwr cerddorol proffesiynol i geisio amddiffyn y gân yr oeddwn wedi ei chyfansoddi. Hefyd fe fu criw o gerddorion yn craffu ar y ddwy gân yn swyddfeydd y cwmni teledu (Avanti rwy'n credu) i gymharu'r ddwy ac i weld os oedd cerddladrad ai peidio. Yn ogystal (ac ar yr un pryd) roedd y grŵp arall o Iwerddon yn edrych ar y gân gyda'u rheolwr. Wrth gwrs roedd y 'trial by media' wedi cychwyn yn barod yn y *Daily Post* (sef y *Sun* ar gyfer Gogledd Cymru). Y pennawd yn Saesneg oedd:

LOCAL SINGER SONGWRITER AND HEADTEACHER
ACCUSED OF CHEATING IN SONG FOR WALES
SONG CONTEST

O mam bach, dyna ergyd, a chyfnod erchyll o bryderus! Roedd fy enw da fel cyfansoddwr ac fel person yn y fantol. Cofiaf i mi dreulio nosweithiau dirifedi yn ddi-gwsg oherwydd y cyhuddiadau, ac ennill Cân i Gymru 2000 wedi troi yn hunllef hyll. O dipyn i beth fe gymerwyd camau bach i wella petha. Cafwyd adroddiad yr arbenigwr cerddorol a oedd yn dangos nad oedd cerddladrad wedi digwydd.

Yna mewn ychydig ddyddiau daeth gair o Avanti yn dweud fod y criw o gerddorion proffesiynol wedi penderfynu na fu copïo o'r gân o Iwerddon. A phythefnos wedyn dyma reolwr y grŵp o Iwerddon yn fy ffonio, chwarae teg iddo, gan ddweud nad oedd dim i mi boeni yn ei gylch.

'I don't know what all this is about,' meddai. 'It's probably about money isn't it?' medda fo wedyn.

Ac wedi meddwl yn ôl, roedd o yn llygad ei le, a dyna pam y rhoddais fy enillion o 'Cae o Ŷd', ar ffurf siec yn rhodd i Oxfam yn fuan wedi'r holl firi. Ond bellach roeddwn yn difaru i mi drio cystadleuaeth Cân i Gymru erioed!

Ond fe ddaeth dyddiau gwell i'r gân hon. Er gwaetha'r holl firi fe gymerodd pobol Cymru ati a'i chofleidio. Cafodd ei chynnwys ar CD arbennig gan Sain. Recordiodd Martin Beattie hi gyda Cherddorfa Cymru'r BBC. Gwelwyd ei pherfformio ar y teledu a chyhoeddwyd CD o'r recordiad byw. Gwnaed trefniant ohoni gan Meilyr Wyn i gorau o bob math ar gyfer Eisteddfod yr Urdd ac Eisteddfod y Ffermwyr Ifanc. A phan oedd y Moniars yn ei pherfformio byddai mwyafrif y gynulleidfa yn cyd-ganu gyda ni ac yn gwybod y geiriau yn well na ni yn aml.

Gwefr aruthrol i mi oedd clywed côr cymysg o fy hen ysgol, sef Ysgol David Hughes, Porthaethwy, yn canu trefniant fy mab Meilyr ym Mhafiliwn Eisteddfod yr Urdd 2014, ac allan o 19 o gorau, yn dod yn fuddugol.

I gloi pen y mwdwl ar stori 'Cae o Ŷd' fe hoffwn grybwyll un yr oedd gen i feddwl y byd ohono sef y Dr Gwyn Thomas, y bardd a gollwyd ym mis Ebrill 2016. Cyn ei farwolaeth bu ar *Beti a'i Phobol* ar Radio Cymru a chefais syndod braf wrth iddo ddewis 'Cae o Ŷd' fel un o'i hoff ganeuon.

Yna mewn cyfarfod pan oedd yn lansio ei lyfr olaf yn Neuadd Reichel Bangor, er na wyddwn mai ei gyfrol olaf fyddai honno, dyma'r ysgolhaig o fardd yma yn fy nghofleidio gan ddiolch i mi am ddod yno â dweud gymaint yr hoffai wrando ar y gân. Fe hoffai'n arbennig y llinellau:

> Ond yr un yw'r anawsterau,
> Yr un yw'r drwg yn y bôn,
> Rhaid golchi'r gwenwyn allan
> Os am wella yr ydan ni'n sôn.

Diwedd braf felly i hanes y gân hon a achosodd gymaint o ofid ac o lawenydd i mi'r un pryd.

12.

Harbwr Diogel

Mae 'na rywbeth amdanat ti
Na fedra i egluro,
Rhywbeth amdanat ti
Sy'n gwneud i nghalon i guro,
Rhywbeth amdanat ti na fedra'i ddianc rhagddo,
Mae 'na rywbeth amdanat ti
Na fedra'i fyth anghofio.

Wrth weld y casineb fel cancr ym mhob gwlad,
A gweld y diniwed yn nofio yn y gwaed,
Wrth weld y nos yn cau allan y dydd
Fydda i'm yn colli ffydd;
Amser hynny fydda'i'n diolch:

Fod 'na rywbeth amdanat ti
Na fedra i egluro...

Wrth weld y tyrau mor uchel yn syrthio i'r llawr
A chlywed gelynion yn herio efo'u geiria mawr,
Wrth weld y byd 'ma ar dân ac yn mynd o'i go'
Fydda i'm yn anobeithio,
Amser hynny fydda'i'n diolch:

Fod 'na rywbeth amdanat ti
Na fedra i egluro,
Rhywbeth amdanat ti
Sy'n gwneud i nghalon i guro,
Rhywbeth amdanat ti na fedra'i ddianc rhagddo,
Mae 'na rywbeth amdanat ti
Na fedra'i fyth anghofio.

Ti yw'r Harbwr Diogel yng nghanol y storm,
Ti yw'r breichia cadarn i'm cadw rhag ofn,
O, i'm cadw i rhag ofn!

Rhywbeth amdanat ti
Sy'n wahanol i bawb arall,
Rhywbeth amdanat ti
Sy'n fy ngwneud i lawer cryfach,
Rhywbeth amdanat ti,
Rhywbeth amdanat ti,
Rhywbeth amdanat ti.

Elin Fflur

Roedd trychineb 9/11 newydd ddigwydd. Roedd ein byd cyffyrddus gorllewinol ni wedi ei ysgwyd i'w seiliau. Teimlais innau fod Armagedon yn agos a bod daeargryn o ddigwyddiad wedi digwydd ac wedi fy ysgwyd innau i sylweddoli mor fregus yw bywyd ac mor bwysig oedd cael angor ffydd yn ein bywydau. Heb os, roeddwn i wedi gorffwys ar fy rhwyfau ers blynyddoedd. Roedd angen digwyddiad syfrdanol a chythryblus fel hyn i'm deffro o'm bywyd rhy gyffyrddus.

Gwelais y lluniau erchyll ar y teledu. Fedrwn i ddim coelio fy llygaid. Dyma ddigwyddiad na fyddwn i byth yn ei anghofio. Gan fod fy myd wedi ei ysgwyd gymaint, fe es i'r stafell y byddwn yn mynd iddi'n arferol ar adegau fel hyn a cheisio mynegi fy ngofid a'm tristwch a'm hymgais am obaith ar y piano, a'r drws wedi ei gau. Roeddwn angen harbwr diogel yng nghanol hyn i gyd.

Ar ddiwedd 2001 fe es i ati i gyfansoddi, gan ddyfalbarhau nes oedd y gân wedi ei chwblhau. Os ydych eisiau clywed sut gân oedd hi'n wreiddiol gwrandewch ar fersiwn Duffy ar YouTube neu fersiwn araf ar y CD *Harbwr Diogel* gan Elin Fflur a'r Moniars. Roeddwn wedi dysgu ers cyfnod Pererin i beidio sgwennu caneuon Cristnogol neu fynegi ffydd bersonol 'in your face', fel y dywedodd un critig clên o Gaerdydd. Felly dyma fynd ati i gyfansoddi cân grefyddol yn null cân serch, hen ddull a ddefnyddiwyd ers canrifoedd yn y Salmau a Chaniadau Solomon.

Mae'r geiriau fel petaent yn sôn am gymar neu gariad. Ond yn ddistaw bach cyfeirio at yr Arglwydd Iesu ei hun mae'r geiriau, y gytgan yn enwedig gan mai Ef yn fwy na neb yw'r Harbwr Diogel a all ein cynnal ymhob storm.

Yn ogystal, roedd un ffactor arall yn fy ngyrru i orffen cyfansoddi'r gân hon, gyda'r bwriad pendant o'i danfon i gystadleuaeth Cân i Gymru 2002. Roedd y strach efo cystadleuaeth 2000 wedi fy nghythruddo yn ddistaw bach y tu mewn a daeth ochor fy nhad o'm cymeriad i'r wyneb. O Lanberis oedd fy nhad, ardal y chwareli. 'No nonsense country.' Soniai'n aml fod angen mwy o 'gyth' ar y Cymry ac arna innau; mod i lawer rhy 'llŵath', yn cymryd pob dim yn ddistaw heb ymladd yn ôl.

Wel daeth 'cyth' (sef cythraul) fy nhad yn ôl i'm hysbrydoli. Hwn oedd y sbarc a'r cymhelliad a wnaeth i mi daro'n ôl. Fe wn i fod 'taro'n ôl' yn mynd yn erbyn fy egwyddorion sylfaenol. Ond o dan rai amgylchiadau mae'n beth da iawn ac yn ysgogi penderfyniad a magu dyfalbarhad. Ac felly y bu.

'Fe ddangosa'i i'r diawled yna a gwynodd am 'Cae o Ŷd' mod i'n medru sgwennu cân arall well fyth, ac o bosib ennill Cân i Gymru efo hi. Jyst i ddangos iddyn nhw!' Dyna beth ydi enghraifft o 'cyth'!

Agwedd anghywir, medda chithau. Ond yn wir, roedd hyn yn ysgogiad penigamp i fynd amdani i gyfansoddi cân afaelgar arall. Hefyd rwy'n hen gena' penderfynol, un a oedd yn niwsans mawr i'm rhieni druain. Ond fe all hynny fod yn fantais mewn sefyllfa fel hon i sicrhau cyflawni tasg anodd a pheidio llaesu dwylo.

Wel, fe ddaeth y gân at ei gilydd mewn da bryd cyn dyddiad cau'r gystadleuaeth. Ond pwy gawn i i'w pherfformio? Yr ydan ni fel teulu yn ffrindiau mawr efo Nest Llywelyn ers blynyddoedd maith. A bu Nest yn gymorth mawr i Pererin yn y cyfnod cynnar yn canu a gyda'i chyfraniad gafaelgar ar y piano. Roeddwn innau ar y pryd yn ffan mawr o fand roc newydd o Sir Fôn, sef Carlotta. Yn y band hwnnw roedd Ioan Llywelyn, gydag Elin Fflur ar y bas ac yn canu cefndir, a Jams Ward ar y drymiau. Mae Ioan ac Elin yn frawd a chwaer ac yn blant i Nest. Roedd gen i deimlad y medrai Elin, fel ei mam o'i blaen, ganu'n unigol hefyd. A dyma benderfynu gofyn iddi a fyddai ganddi ddiddordeb mewn canu'r gân hon yn y gystadleuaeth.

Yn y cyfamser roedd yn rhaid recordio'r gân er mwyn cael demo i Elin. Doedd fawr neb yr adeg hynny efo stiwdio yn eu cartref. Ond roedd gen i ffrind da a oedd yn gampus am recordio caneuon yn glir ac yn cynnig awgrymiadau adeiladol iawn ynglŷn â threfniant caneuon. Richard Synnott oedd hwnnw, y bachgen dall a oedd hefyd yn chwarae'r sacsoffon i'r Moniars ac yn giamstar ar recordio offerynnau a chaneuon ar gyfer demos. Recordiad amrwd ond digonol i arddangos arddull a nodweddion cân neu berfformiwr yw demo. Fe wnaethon ni recordio demo ddigon teidi a'i rhoi i Elin fel y gallai ystyried canu'r gân.

Wedi gwrando, fe gytunodd Elin a dyna ddechrau partneriaeth arbennig o gydweithio efo Elin Fflur a'r Moniars, a fyddai'n recordio CD yn y man, un a fyddai'n cynnwys rhai o'm caneuon gorau a chyda'r gwerthiant gorau yn ogystal. Wedi clywed llais Elin am y tro cyntaf yn canu'r gân hon, fe wnaethom sylweddoli fod ganddi lais roc a phop gwych a hollol addas i'r gân. Dyma ddanfon copi o'r recordiad i Cân i Gymru a dim ond gobeithio'r gorau a disgwyl yn amyneddgar.

Rywbryd ym mis Ionawr cawsom y newydd da fod ein cân wedi cael ei derbyn ymhlith y rhestr fer. Caryl Parry Jones oedd yn trefnu'r cyfan dwi'n meddwl, a hi a fu'n gyfrifol am y trefniant terfynol o'n cân. Roeddwn i am alw'r gân yn 'Harbwr Diogel'. Roedd Caryl yn meddwl y byddai 'Rhywbeth Amdanat Ti' yn deitl gwell iddi. Ond roedd Mr Penderfynol am sticio at yr enw gwreiddiol. Teimlwn fod 'Rhywbeth Amdanat Ti' yn swnio'n ystrydebol iawn. Tra mae cyfle, fe hoffwn ddiolch o galon i Caryl am y trefniant terfynol o'r gân, yn enwedig y cyflymu a newid cyweirnod diddorol ar y diwedd. Dwi'n ddyledus iawn iddi am hynny gan i'r darn hwnnw ddod ag uchafbwynt gwych i ddiwedd y gân.

Cofiaf yn iawn fynd i recordio'r rhaglen yn Lido Afan ym Mhort Talbot, a hynny'n addas iawn gan mai Emyr Afan a'i gwmni teledu newydd ar y pryd, Avanti oedd yn recordio'r rhaglen.

Fe aeth Elin a Richard a minnau i lawr i'r de gan obeithio bod gynnon ni siawns. Fel mae'n digwydd dw'i ddim yn cofio'r caneuon eraill, yn wahanol iawn i'r gystadleuaeth yn 2000. Medraf gofio'r holl ganeuon hynny hyd heddiw. Fe ganodd Elin y gân yn arbennig o dda a hyderus o feddwl mai hwn oedd un o'r troeon cyntaf iddi ganu'n gyhoeddus. Roedd yn amlwg fod ganddi'r ddawn i berfformio cân gydag angerdd.

Wel, fe wnaethon ni ennill, a chofiaf Rich annwyl yn dweud yn syth: 'We showed them!' Derbyniodd Rich ei addysg yn Lerpwl chwarae teg mewn ysgol wych i'r deillion yn y dref honno. O'r herwydd fe droeai i'r Saesneg bob hyn a hyn i wneud ei bwynt. Yna, o ennill dyma gael mynd ag Elin Fflur a'r Moniars i Iwerddon ac ennill yn yr Ŵyl Pan Geltaidd yno hefyd.

A dyna a fu. Ennill. A dyna hi wedyn; dim byd wedi hynny am flwyddyn a mwy. Erbyn hyn roedd Sain wedi rhoi'r gorau i greu CD neu gasét yn cynnwys goreuon blynyddol Cân i Gymru. Hynny yw, y rhai oedd wedi eu dewis ar gyfer y rownd derfynol. Felly doedd dim recordiad yn unlle o Harbwr Diogel i'w chael. Ac fe dybiem ni i gyd y byddai'r gân yn pydru yn archifau Cân i Gymru am byth. Ac mai dyna fyddai ei diwedd hi.

Mae fy niolch i yn fawr iawn felly i wraig a ddaeth ata'i yn Siop Cwpwrdd Cornel Llangefni ychydig cyn Nadolig 2002 a dweud: 'Wel wir, mae'n gywilydd fod y gân wnaethoch chi gyfansoddi i Elin Fflur ddim ar gael ar CD nac yn nunlle arall. Wnes i fwynhau'r gân gymaint a dw'i wedi chwilio amdani ymhob man. Ond dydi hi ddim i'w chael!'

Teimlais dipyn o gywilydd am i mi beidio â swnian digon ar Sain i'w rhyddhau hi fel sengl neu mewn casgliad o ganeuon eraill. Felly dyma yrru llythyr i Sain i ddweud bod galw am recordiad o'r gân. A gofyn a fyddent yn caniatáu i ni fel Y Moniars wneud CD gydag Elin a'i galw yn *Harbwr Diogel*?

Fel roedd hi'n digwydd, roedd gen i swp o ganeuon newydd dan fy nghesail, caneuon oedd newydd eu cyfansoddi ac a fyddai'n ddelfrydol ar gyfer llais Elin. Rown i mewn lwc dwi'n meddwl gan fod sôn fod llawer o'r cyhoedd erbyn hyn wedi bod yn holi hefyd os oedd modd cael copi o'r gân fuddugol ar CD. A dyma Sain yn cytuno!

Dyma ddechrau recordio. Roedd yr awyrgylch yn wych ymhlith y cerddorion gorau posib. Roedd ganddon ni dîm cynhyrchu da a phawb yn yr hwyliau gorau. O recordio mewn stiwdio am wythnos a mwy heb weld golau dydd ac yng nghwmni'r un criw drwy'r dydd, bob dydd, mae'n gallu bod yn anodd. Ond yn ogystal â hwyliau da, cawsom hefyd sŵn da yn Stiwdio Sain a phawb yn hapus gyda'r cynnyrch.

Yn ogystal â 'Harbwr Diogel' fe ddisgleiriodd Elin wrth ganu 'Paid â Chau y Drws' hefyd, cân ddaeth yn ffefryn arall gan y cyhoedd. Mae gen i ffydd mawr yn y cyhoedd! Diolch amdanynt weithiau!

Bu Elin yn canu efo ni fel Moniars am dros ddwy flynedd ar ôl rhyddhau'r CD a bu hynny'n help mawr i ni fel band ac fel cychwyn ar yrfa wych i Elin ei hun. Roedd hi'n anodd iawn iawn i'r cyfryngau yng Nghymru anwybyddu'r gân hon. Roedd miloedd eisiau ei chlywed a'i chanu, yn oedolion a phlant, ac yn dal i fod eisiau ei chlywed a'i chanu hyd heddiw. Felly diolch o galon i'r cyhoedd fu tu cefn i ni, ac yn arbennig i'r wraig ifanc a ddaeth ataf yn Llangefni a deud bod yn rhaid cael hon allan ar CD.

Bellach mae 'Harbwr Diogel' yn anthem o gân drwy Gymru gyfan, yn arbennig ymysg ieuenctid a phlant. Braf yw clywed y dorf yn ei chanu hefo ni neu gydag Elin pan fyddwn yn ei pherfformio. Mae yna rywbeth arbennig am y gân hon sy'n llonni calon pobol, beth bynnag fo'u hamgylchiadau. Rwy'n hapus iawn am hynny.

13.
Paid â Chau y Drws

Paid â chau y drws arna' i,
'Nghau i allan o dy fywyd di,
Paid â chau y drws arna' i,
Mae'n anodd byw yn y byd 'ma hebddot ti.

Fe gymerodd flynyddoedd i ddod o hyd i'r aur,
Wedi cael trysor dy gwmni, dwi'n gofyn yn daer –
Rho gyfle arall i mi, (felly paid)

Paid â chau y drws arna' i,
'Nghau i allan o dy fywyd di,
Paid â chau y drws arna' i,
Mae'n anodd byw yn y byd 'ma hebddot ti.

Mae'r cestyll ar fy nhraeth yn chwalu fesul un,
A llanw dy eiriau yn mynnu dinistrio
Dau enaid cytûn, (felly paid)

Paid â chau y drws arna' i,
'Nghau i allan o dy fywyd di,
Paid â chau y drws arna' i,
Mae'n anodd byw yn y byd 'ma hebddot ti.

Ond yn y dyddiau hyn
A'r tywod yn llithro drwy fy llaw,
Alla'i ond ymbil arnat ti,
Cymer fi nôl beth bynnag a ddaw.

Pwy a ŵyr beth a ddaw?
Pwy sy'n gwybod beth a ddaw?

Felly, paid â chau y drws arna' i,
'Nghau i allan o dy fywyd di,
Paid â chau y drws arna' i,
Mae'n anodd byw yn y byd 'ma hebddot ti,
Dw'i dy angen di!

Crist wrth y drws yn curo, gan William Holman Hunt

Roeddwn i wedi ffidlan efo cordiau'r gân hon am fisoedd ond heb eu cyfuno yn gân. A phenderfynais ei gadael ar domen caneuon anorffenedig. Mae gan bob canwr-gyfansoddwr ddegau o'r rhain. Fe ellir eu canfod mewn ambell lyfr nodiadau neu ar hen ddarnau o bapur mewn ffeil ac yn y blaen, efo'r cordiau uwchben y geiriau anorffenedig a neb yn y byd efo unrhyw syniad o'r alaw.

Ond efo'r gân hon, roedd hi'n wahanol rywsut. Roedd Meilyr y mab wedi ei chlywed ac wedi dweud yn hollol bendant: 'Dad, mae'n rhaid i ti orffen hon!' Mae o'n gyfansoddwr ei hun, yn un llawer gwell a mwy cerddorol na fi. A mynnodd na ddylwn wastraffu'r gwaith oedd wedi ei wneud eisoes ar hon. Felly rhaid oedd mynd ati i'w gorffen hi.

Rydan ni'n sôn yma am yr angen i ysgrifennu geiriau synhwyrol i gyd-fynd â'r gerddoriaeth. Wel mae'r diolch i raddau i Meilyr am hynny hefyd gan iddo grybwyll mai un o'i hoff luniau oedd 'Goleuni'r Byd' gan William Holman Hunt. Darlun yw hwn wedi ei beintio yn raenus o'r Arglwydd Iesu yn curo wrth ddrws y galon gyda llusern o oleuni yn ei law. Llun trawiadol iawn o Grist gyda choron ar ei ben.

Fel y soniais o'r blaen, ofer ceisio cyfansoddi cân Gristnogol hollol amlwg yn y maes canu cyfoes yng Nghymru. Felly fe gychwynnais y gân hon eto fel cân serch y gallai unrhyw un uniaethu â hi. Gallai fod yn ddrws calon rhywun wedi ei gau, hynny mewn gwahanol ffyrdd i unigolion gwahanol. Gallai fod yn ddrws calon rhiant, ffrind, cariad neu rywun arall. Pan mae rhywun wedi gwneud camgymeriad yn ei fywyd, y canlyniad gwaethaf yw pan mae personau arbennig, ffrindiau neu deulu, yn cau'r drws arnoch. Dyna o ble daeth y gytgan ymbilgar:

Paid â chau y drws arna' i,
'Nghau i allan o dy fywyd di,
O paid, paid â chau y drws arna' i,
Mae'n anodd byw yn y byd 'ma hebddot ti.

Ac yng nghefn fy meddwl drwy'r amser roedd y darlun hwnnw o Grist wrth y drws efo'r goleuni yn ei law. Yn wir, dywedodd yr Iesu mai Ef oedd y Drws yn Efengyl Ioan, pennod 10, adnod 9:

'Myfi yw'r drws; os daw rhywun i mewn trwof fi, caiff ei gadw'n ddiogel.'

Roedd y darlun yma o gael 'ei gadw'n ddiogel' yn apelio yn arw i mi, y diogelwch hwnnw a deimlwch pan gyrhaeddwch adref o daith anodd a pheryglus. Cyrraedd yn ôl at eich teulu a'ch cartref yn saff. 'Hafan Diogel' yn wir.

Y tu ôl i'r gân hon sy'n swnio ar yr olwg gyntaf fel cân serch ddigon clir, y mae'r darluniau yma o ddrws fel symbol crefyddol. Yn wir, yr oeddwn wedi ysgrifennu cân flynyddoedd ynghynt i'r grŵp Pererin ar thema debyg; 'Y Drws' oedd honno, y soniais amdani mewn pennod flaenorol. Y syndod yw fod y gân hon wedi ei chyfansoddi yn llawn a therfynol yn yr un wythnos â 'Harbwr Diogel'. Roedd yr Awen yn gryf ac yn garedig iawn yr wythnos honno mae'n rhaid.

Wedi cael y caniatâd a'r alwad i recordio albwm o

ganeuon i Elin Fflur eu canu gyda'm grŵp Y Moniars, yn ogystal â'r brif gân sef 'Harbwr Diogel' wrth gwrs, byddai angen cael caneuon eraill hefyd i'w cynnwys ar y CD llawn. Rhaid oedd cynnwys hon felly, cân wedi ei chyfansoddi yn agos i'r un cyfnod â'r 'Harbwr', ac a oedd ym marn eraill yn gân safonol a gafaelgar. A diolch am eu hanogaeth i'w recordio hi.

Syndod mawr i mi yw bod y gân hon, sy'n eitha cymhleth â deud y gwir, wedi mynd yn anthemig o dda mewn nosweithiau pan fydd Elin yn canu yn ogystal ag ar nosweithiau'r Moniars. Wnes i erioed feddwl y bysa hi'n gafael mewn cynulleidfa fel hyn, a phawb yn ymuno yn y canu gyda ni gan oleuo eu ffonau symudol neu eu leitars a'u chwifio yn y tywyllwch.

Fel y gweddill o'r caneuon ar y CD *Harbwr Diogel*, mae yna le i ddiolch yn fawr i'r holl gerddorion medrus a oedd yng ngrŵp y Moniars ar y pryd: Elin Fflur ei hun wrth gwrs, ynghyd â Siôn Llwyd ar y gitâr fas, Einion Williams ar y congas a'r offer taro, Deian Elfryn ar y drymiau, Richard Synnott ar y sacsoffon (neu Sacs-o-Fôn fel y bydd Richard yn ei alw!), Nathan Owen ar y gitâr flaen a Thomas Barri Evans yn llais cefndir. Heb anghofio gwaith Siôn a Deian yn cynhyrchu'r albwm. Ac Eryl (Sain) yn peiriannu.

Fe werthodd y CD yn eithriadol o dda. Yn wir, gwerthodd y tu hwnt i'n holl obeithion ni gan sicrhau fod pobl a phlant o bob oed yn dod i wybod y caneuon. Ia, hyd yn oed un gymhleth ac araf fel hon. 'Paid â Chau y Drws' a 'Harbwr Diogel' wnaeth gydio fwyaf gyda'r cyhoedd yng Nghymru. Ond mae 'Papillon' yn fwy o ffefryn gen i ac yn gydradd â'r ddwy gân arall.

Bydd Elin Fflur bob amser yn diolch i mi yn breifat ac yn gyhoeddus am ei helpu ar ei gyrfa efo'r caneuon hyn. Ond y gwir yw bod Elin ei hun wedi ein helpu ni fel Y Moniars yn gymaint ag y bu i ni ei helpu hi.

Rhoddodd y cyfnod yma sbardun ynom i fod yn fwy mentrus ac i chwarae mewn mwy o nosweithiau ledled Cymru.

Cofiaf un achlysur pan oedd Richard, Elin Fflur a minnau mewn fan yn teithio i lawr i ganu yng Nghwm Gwendraeth, lle cadarn i'r Gymraeg ac ardal groesawgar tu hwnt i gerddorion Cymru. Ychydig ar ôl mynd drwy Ddolgellau a phasio'r Cross Foxes yn y fan, dyma deithio yn reit gyflym am ei bod hi'n ffordd hir yno a'r offer i gyd angen ei osod i fyny cyn canu.

Yn sydyn reit dyma andros o glec! Roedd hi'n noson dywyll fel y fagddu ac yno yng nghanol y lôn roedd rhywun wedi gadael soffa! Ie, 'fell off a lorry' go iawn! Roeddwn yn rhy hwyr yn ei gweld a bu'n amhosib ei hosgoi. Yn anffodus fe falwyd un hedlamp yn rhacs. Cawsom ein dychryn do, ond buan y trodd yr ofn yn chwerthin mawr gan mai soffa oedd hi yn hytrach na buwch neu greadur arall. Yn ffodus iawn roedd yr hedlamp arall yn gweithio. Ac o'i gadael ar ffwl-bîm roedd y golau'n ddigon da i ni fedru gyrru ymlaen ar y daith i Gwm Gwendraeth. Roedd yn rhaid i'r sioe fynd yn ei blaen ynde, fel y gŵyr pob perfformiwr gwerth ei halen.

Mae'r stori hon yn nodweddiadol o'r cyfnod eithriadol brysur hwnnw yn hanes ein perfformiadau fel grŵp y Moniars, cyfnod llawn anturiaethau a storïau difyr fel hyn. Efallai y cawn eu cynnwys i gyd mewn llyfr ryw ddiwrnod.

Roedd hwn yn gyfnod hapus, a'r cyhoedd yn gyfarwydd iawn â'r gân hon a 'Harbwr Diogel' yn arbennig. Does dim byd brafiach i gerddor/ gyfansoddwr na sefyll yn ôl a gadael i'r gynulleidfa ganu'r gân eu hunain. Profiad arbennig iawn yn wir, yn enwedig pan mae'r dorf weithia'n gwybod y geiriau gystal os nad yn well o lawer na'r cantorion yn y band hyd yn oed. Dyma beth yw gwefr yng ngwir ystyr y gair.

A diolch eto i Meilyr am ail-agor y drws i'r gân a'm gorfodi i'w gorffen a'i chanu hi'n gyhoeddus. Da di'r hogyn!

Sara Mai yn canu 'Paid â Chau y Drws' mewn gŵyl yn Ninbych

Llun: Richard Jones

14.

Papillon

Wrth fy modd dy 'neud di'n hapus,
Wrth fy modd dy fod ti'n farus
Am fy nghwmni, bob nos a dydd,
Ac wrth fy modd gneud i ti chwerthin,
Wrth fy modd nad oes 'na derfyn
Ar y llawenydd newydd ti'n dod i mi.

Ti fel cawod o law ar ôl y sychder mawr,
Cipiaist fi mewn munud yn uchel oddi ar y llawr.

O, Papillon, O Papillon,
Yn mentro mewn ffydd
A hedfan yn rhydd, O, Papillon.

Gobeithio na ddaw'r helwyr efo'u rhwydi mân
I geisio dwyn yr hapusrwydd, a cheisio lladd y gân,
Ceisio lladd y gân.

Wrth fy modd gweld y sêr yn dy lygaid,
Wrth fy modd teimlo'r bywyd yn dy enaid,
A chalonnau ni'll dau fel coedwig ar dân;
Ac wrth fy modd dy weld ti'n llwyddo,
Wrth fy modd gweld diwedd ar dy glwyfo,
Ti'n hedfan mor uchel ar adain y gwynt.

Ti fel cawod o law ar ôl y sychder mawr,
Cipiaist fi mewn munud yn uchel oddi ar y llawr.

O, Papillon, O, Papillon
Yn mentro mewn ffydd
A hedfan yn rhydd, O, Papillon.

Steve McQueen o'r film Papillon

Yn aml pan mae cyfansoddwr yn sgwennu cân bydd wedi
bod wrthi am wythnosau ac weithiau misoedd yn chwarae
o gwmpas efo alaw neu ddarn o alaw neu gordiau diddorol
cyn, yn y diwedd, roi'r gân wrth ei gilydd. Dyna fu hanes y
gân hon, ffidlan efo cordiau soniarus a diddorol a methu'n
glir â chael geiriau addas iddi. Yn aml iawn fe fydd y
geiriau'n hir yn dod, a rhaid bod yn amyneddgar. Ond yn
yr achos hwn, fe ddaethant yn y diwedd.

Ffilm enwog Steve McQueen a Dustin Hoffman o'r un
enw, *Papillon*, a ysbrydolodd y geiriau yn y diwedd. Stori
yw hon am ddyn sy'n cael bai ar gam a'i gaethiwo mewn

carchar erchyll ar ynys drofannol. Mae'n gwrthod ildio i'r drefn na cholli gobaith chwaith. Yn hytrach mae'n benderfynol na fydd yr holl flynyddoedd o garchar sydd o'i flaen yn torri ei ysbryd. Ar ôl llawer o flynyddoedd mae gan y cymeriad arbennig hwn datŵ mawr o löyn byw (pili pala yn y De a iâr fach yr haf mewn rhai ardaloedd) ar ei frest. Dyna o ble daw enw'r ffilm, a dyna pam y mae gen i datŵ o löyn byw Celtaidd ar fy mraich dde!

Mae'r tatŵ yn gallu cipio'r carcharor mewn munud o'i dristwch ar ôl colli gymaint o'i ryddid. Os cofiwch y ffilm, ar y diwedd mae'n rhaid iddo 'fentro mewn ffydd' i ddyfroedd y môr ar y rafft dila a adeiladodd er mwyn dianc o'r ynys. Ond yng nghefn ei feddwl drwy'r amser roedd yr ofn na ellid ei ddileu, ofn cael ei ddal eto a'i yrru yn ôl i'r carchar erchyll:

> Gobeithio na ddaw'r helwyr
> Efo'u rhwydi mân
> I geisio dwyn yr hapusrwydd
> A cheisio lladd y gân.

Ie, lladd ei gân o ryddid efo'i gymar. Pam rhwydi mân? Wel, fel y gŵyr pob potsiar, rhwydi mân yw'r rhai gorau i ddal unrhyw bysgodyn. Felly hefyd loÿnnod byw.

Ceir holl hanes antur y gŵr a elwir y Papillon yn y llyfr enwog o'r un enw gan Henri Charrière, cyfrol a gyhoeddwyd yn Ffrainc yn gyntaf. Hunangofiant rhyfeddol Charrière ei hun yw *Papillon* sy'n sôn am ei garchariad am bedair blynedd ar ddeg ar ynys yn French Guiana rhwng 1931 a 1945. Yr oedd yn fwy o fraw i mi ar ôl gweld y ffilm ei bod hi'n stori hollol wir, a sylweddoli iddo weld 'diwedd ar dy glwyfo' ac iddo, fel y papillon go iawn, gael 'hedfan mor uchel ar adain y gwynt.'

Dydi'r gân yma ddim wedi dilyn y patrwm arferol i mi: pennill, cytgan, darn canol, pennill, cytgan. Mae hi yn hytrach ar batrwm anarferol, a dyna o bosib pam rwy mor hoff ohoni. Hefyd mae'r 'riff' yn y darn solo wedi gweithio'n wych, diolch i Richard. Mae hi'n aros yn y cof yn dda ac mae hynny'n beth da wrth gyflwyno cân o'r newydd i'r cyhoedd fel cynulleidfa. Mae 'riff' dda yn gallu gwneud cân yn arbennig. Meddyliwch, er enghraifft, am 'Layla' gan Eric Clapton.

Fe geir hanes doniol iawn am recordio'r gân hon. Doedd Elin Fflur na minnau na neb yn y Moniars wedi bod yn ffans mawr o wersi Ffrangeg yn yr ysgol. Pam ddylen ni, ynde? A ninnau 'mond yn mynd i Benllech a Rhyl ar ein gwyliau prin adeg dyddiau ysgol. Beth bynnag i chi, fe ddaeth yr amser i recordio'r gân hon. Fel Cymry Cymraeg oedd yn ansicr o'u Saesneg, heb sôn am Ffrangeg, dyma edrych ar y gair a meddwl: wel, mae'n rhaid bod yna 'l' yng nghanol y gair yma wrth ei ynganu, gan fod y Ffrancwyr wedi mynd i'r drafferth i roi nid yn unig un ond dwy 'l' yn y gair. Felly fe wnaethon ni ganu'r gair yn y cytgan fel 'Pap-il-ion'. Ie, rêl 'hicks' Cymraeg, heb sylweddoli fod y Ffrancwyr wedi penderfynu yn eu doethineb ieithyddol i wneud dwy 'l' (sef 'll') yn rhai distaw yn yr ynganiad. Felly 'Pap-i-on' ydi'r ffordd gywir i ynganu'r gair. Ond wedi i ni recordio bob dim yn y stiwdio roedd hi rhy hwyr i newid petha. Maddeuwch felly i Elin a'r Moniars am fod mor anwybodus yn ein Ffrangeg!

Roedd gen i athrawes dda iawn yn yr ysgol sef Miss Jôs Ffrensh. Dynes fechan oedd hi, yn edrych fel Ffrances ac yn ein dysgu drwy'r Saesneg, wrth gwrs. Fe ddysgodd lawer o ganeuon Ffrangeg i ni i'n helpu i ddysgu'r iaith.

Byddai hefyd yn rhannu llawer o gylchgronau Ffrengig diddorol i ni, bobl ifanc, i'n hannog. Ond yn anffodus i Miss Jôs druan, doedd fy meddwl i ddim yn Ffrainc nac ym Mharis ond yn Lerpwl efo 'Sergeant Pepper's Lonely Hearts Club Band', sef y Beatles wrth gwrs. Doedd gen i ddim clem ar y Ffrangeg ac ro'n i'n rhy brysur yn ymarfer ar fy ngitâr newydd i boeni am ymarfer iaith dramor.

Fe gefais fy nal un diwrnod yn darllen y *New Musical Express* yn nosbarth Miss Jôs. Copsan o'r tu ôl oedd hi fel arfer. Ond y tro hwn, yn sydyn reit dyma enseiclopedia Ffrangeg trwm yn landio ar fy mhen. Os oedd o mewn Ffrangeg neu beidio, roedd o'n brifo yn andros. Roedd hi wedi gwylltio go iawn efo fi, mae'n rhaid.

Pan gyrhaeddais adre'r pnawn hwnnw, dyma Mam yn gofyn be odd y lwmpyn ar fy mhen? A finna'n deud y stori wrthi.

'Watshia di i mi ei gweld hi,' medda Mam. 'Mi ddweda'i wrthi faint sy' tan ddydd Sul!'

'Be?' medda finna, 'ydi hi'n deall Cymraeg 'lly?'

'Yndi tad,' medda Mam, 'ro'n i yn rysgol efo hi. Cymraes ydi hi o Gaergybi.'

Wel, dyna ni felly. Dyma ffeindio bod y wraig a drïodd ei gora i ddysgu Ffrensh i mi drwy gyfrwng y Saesneg yn Gymraes ac yn gallu siarad Cymraeg yn rhugl. Roedd hi'n amser i betha newid yn ieithyddol on'd oedd?

Beth bynnag am hynny, fe ddaeth amser diwedd y flwyddyn addysgol a'r wers Ffrangeg olaf, a dyma Miss Jones yn deud: 'Well I suppose you won't be carrying on with your studies in French. You won't be choosing French in your choice of subjects next year, will you?'

'No Miss,' medda finna efo gwên fawr ar draws fy wyneb.

'Well,' medda hithau, 'in a funny old way I'm really going to miss you. You're such fun to have around.'

A dyna'r unig gompliment ges i mewn gwers Ffrangeg yn ystod fy nhair blynedd o astudiaeth o'r pwnc. A deud y gwir, dyna be mae llawer wedi ei ddeud amdana'i mewn bywyd bob dydd ar ôl hynny, haha! Ia, dyna be 'dach chi'n gael am actio'r gôt drwy'r amser a chlownio rownd y rîl. Biti 'swn i wedi gwrando ar Miss Jôs Ffrensh, 'swn i'n gwybod wedyn sut oedd ynganu'r gair allweddol yn y gân yma, 'Papillon'!

Ond nid dyna ddiwedd y stori. Ychydig flynyddoedd yn ôl fe ddechreuais ganu mewn nifer o gartrefi gofal ar Ynys Môn. Wedi gorffen canu mewn un cartref dyma lais bach lled gyfarwydd yn dod o gyfeiriad un o'r seti cyffyrddus yn y cartref, ac yn Gymraeg hefyd.

'Wel, sut ydach chi?' meddai'r llais. A dyma droi o gwmpas, a phwy oedd yno yn edrych yn dda iawn o'i hoed ond yr hen Fiss Jôs Ffrensh o Ysgol David Hughes a geisiodd yn ofer ddysgu Ffrangeg i mi. Roeddwn i'n falch iawn o'i gweld, a hithau minnau. A daeth geiriau doeth fy nain i'm clustiau: 'Cynt dau ddyn na dau fynydd.' Dywediad penigamp a hollol wir ym mywyd llawer ohonom. Profiad arbennig oedd cael ei chyfarfod eto, a minnau wedi hen faddau iddi am y bwmp ar fy mhen efo'r llyfr.

Fe brynodd cannoedd o bobol y CD honno yr oedd 'Papillon' (heb ynganu'r ddwy 'l') arni sef *Harbwr Diogel* gydag Elin Fflur a'r Moniars. Ac o'r herwydd mae llawer yn cofio'r gân ac yn gofyn amdani mewn nosweithiau gigs o hyd. Gobeithio eu bod nhw hefyd wedi maddau i ni am ynganu teitl a chytgan y gân yn anghywir!

15.
Cyn i'r Haul Fynd Lawr

Pelen fflamgoch yn yr awyr,
Tyrd adra cyn i'r haul fynd lawr
I ni gael cerdded hyd y llwybr,
Tyrd adra cyn i'r haul fynd lawr.

O, tyrd adref, O, tyrd adref
O, tyrd adref – cyn i'r haul fynd lawr.

Mae'r plant bron â mynd i gysgu,
Tyrd adra cyn i'r haul fynd lawr,
Maen nhw eisiau i ti ddarllen stori,
Tyrd adra cyn i'r haul fynd lawr.

O, tyrd adref, O, tyrd adref,
O, tyrd adref – cyn i'r haul fynd lawr.

Mae oriau bywyd yn mynd heibio,
Wedi'r machlud mae'n rhy hwyr i grio.

Ac wrth i minnau deithio heno
Byddaf adra cyn i'r haul fynd lawr,
A bydd llawenydd yn lle wylo,
Af adra cyn i'r haul fynd lawr.

O, dwi'n mynd adra – dwi'n mynd adra,
Dwi'n mynd adra – cyn i'r haul fynd lawr.

Yn y bôn, cân o ymddiheuriad yw hon, cân am gydwybod euog. Mae'n bosib iawn fod ar y mwyafrif ohonom angen ymddiheuro i rywun neu rywrai ar daith bywyd, ond ein bod ni yn aml heb wneud hynny. Mae'r gân hon yn apelio i lawer sydd wedi profi'r teimlad hwnnw, yn arbennig felly ynglŷn â'n plant ni ein hunain.

Gwelais y ffilm *Hook* ychydig cyn sgwennu'r gân hon. Yn y ffilm mae Robin Williams yn actio Peter Pan wedi tyfu i fyny ac mae'n ffeindio'i hun byth a hefyd yn absennol o ddigwyddiadau pwysig yn hanes ei blant. Ac mae'n teimlo cydwybod euog oherwydd hynny. Dyma'r hedyn a gychwynnodd y syniad am y gân hon.

Wedyn cofiaf i mi fod yn Galeri Caernarfon. Ac wrth edrych allan ar y Fenai ar noson o haf braf, roedd machlud hynod i'w weld fel haen o waed dros ddŵr hallt yr afon. Er fy mod i'n gwneud gwaith a oedd wrth fodd fy nghalon yno, cododd awydd dwfn arna'i i fod adref cyn i'r haul fynd lawr, a chyn i'r plant syrthio i gysgu.

Pan oeddwn yn brifathro yn Ysgol Hafod Lon yn y Ffôr ger Pwllheli fe fyddai cyfarfod Llywodraethwyr gyda'r nos unwaith y tymor. Roeddwn mor frwd i weld y plant cyn iddynt glwydo, fe fyddwn yn gwneud yn siŵr fod pob dim yn barod ar gyfer y cyfarfod hwnnw'r noson cynt. Byddwn yn gwneud hynny er mwyn i mi gael mynd yn syth o'r ysgol tua phedwar o'r gloch y pnawn i fynd adre i weld y plant. Byddwn yn mynd â nhw am dro ac yn adrodd stori iddyn nhw cyn iddyn nhw fynd i'w gwelyau. Roedd hi'n bwysig iawn i mi fy mod i'n gweld y plant cyn teithio'r holl ffordd yn ôl i'r ysgol o Langefni i'r Ffôr ac yna nôl adref ar ôl y cyfarfod. Gwastraff o danwydd fyddai rhai yn ei ddweud. Ond roedd y cwbwl yn werth y drafferth i mi fel tad.

Ond wrth feddwl yn ôl roedd aml i adeg pan nad oeddwn adref. Yn fynych ar benwythnosau byddwn yn canu bellafoedd oddi cartref efo grwpiau amrywiol, Pererin a'r Moniars yn bennaf. Byddwn weithiau hefyd ar daith gyda'r grwpiau hyn yn Iwerddon, yr Alban, Llydaw, Sbaen, Ffrainc a gwledydd eraill. Ar adegau fel hynny byddwn yn gweld colli'r plant yn arw ac yn fythol ddiolchgar i'm gwraig Nia am ofalu am y tri phlentyn mor ddi-gŵyn tra byddwn i ffwrdd. Hi oedd angor y teulu heb os.

I Iwerddon y byddwn i'n mynd i berfformio gan fwyaf. Rwy'n caru'r wlad honno a'i phobl yn arw iawn. Ystyriais lawer tro petai gafael y Sais ar Gymru ac Ynys Môn yn mynd yn ormodol y byddai angen i mi wneud rhywbeth pendant. Rwy'n meddwl am adegau fel ethol Keith Best ac yn awr Virginia Ann Crosbie yn Aelodau Seneddol Torïaidd dros Ynys Môn. Teimlwn ar adegau felly fel hel fy mhac gyda'm teulu a'i heglu hi draw i'r Ynys Werdd i wlad a enillodd ei rhyddid o ormes Lloegr, er iddi orfod talu'n ddrud am ei dewrder.

Wrth deithio adra ar siwrneiau o Iwerddon dechreuais brynu siocled hollol unigryw i'r plant o'r siop ddi-doll ar y llong fferi. Siocled Eliffant y galwai'r plant ef. Byddent wrth eu bodd efo'i flas a rhaid fyddai dod â pheth adra o bob taith ynghyd â Toblerôn i Nia. Côte d'Or yng Ngwlad Belg oedd yn gwneud y siocled unigryw hwn. Ac os byddai'r nosweithiau yn ystod y perfformiadau yn Iwerddon wedi talu'n dda, byddai potelaid fach o bersawr hefyd yn ychwanegol. Cawn faddeuant parod am fod i ffwrdd yn hir os cofiwn ddod â'r anrhegion hyn gyda mi adra.

Rhyw fynegiant o gydwybod felly sydd yn y gân hon. Rhyw fath ar ymddiheuriad am bob digwyddiad pwysig y bu'n rhaid i mi ei golli wrth galifantio yma ac acw efo'r canu. Ceisiais fy ngorau glas i beidio colli'r pethau pwysicaf fel penblwyddi ac ati. Ond dysgais wers bwysig mewn ffordd galed dros y blynyddoedd sef y ffaith na ellwch fod mewn dau le ar unwaith. Gosodiad hollol amlwg, mae'n wir. Ond un y byddwn yn ei anghofio'n aml wrth orfod gwneud dewisiadau ble dylwn fod ar adegau arbennig yn fy mywyd.

Ond mae mwy na hynny o lawer i'r gân hon. Mae'r apêl 'Tyrd adref cyn i'r haul fynd lawr', mi gredaf, yn medru golygu pethau gwahanol i rai sy'n gwrando ar y gân. Gall

yr apêl 'Tyrd adref' fod yn apêl mewnol. Apêl i ddod adref
yn ysbrydol cyn iddi fod yn rhy hwyr. Dyna'r ystyr canolog
i'r geiriau:

Mae oriau bywyd yn mynd heibio,
Wedi'r machlud mae'n rhy hwyr i grio.

Ydi, yn aml, mae'n rhy hwyr. Teimlo i'r byw oeddwn i fy
mod i wedi gorffwys ar fy rhwyfau ers blynyddoedd ac
wedi colli gafael ar bethau pwysicaf bywyd. Rhyw
sylweddoli nad yw oes rhywun mor hir ag y tybiwn ac y
bydd haul bywyd yn machlud yn gynt na'r disgwyl. Does
neb yn byw am byth. Ddim ar y Ddaear beth bynnag.
    Mae gan Archie o Celt gân wych am hyn, a hefyd y
band The Killers ar yr un thema: A wyt ti yr hyn oeddet
ti'n gobeithio bod yn dy ieuenctid, yn dy gyfnod o
ddelfrydiaeth a gobeithion optimistaidd? Dyna'r
cwestiwn. Ymhell o'r nod ydi'r ateb, a hynny'n rhy aml
fyswn i'n deud yn fy hanes i. A dyna'r holl deimladau i gyd
efo'i gilydd sydd yn y gân. Hynny heb gyfri'r ffaith fy mod
i'n dotio at fachlud haul ers blynyddoedd maith ac yn
tynnu llun y machlud ar y cyfle cyntaf a gaf. Merched y
Wawr, ie. Ond i rai fel Dewi Pws a minnau, Meibion y
Machlud amdani!
    Do, fe yrrwyd y gân hon hefyd i gystadleuaeth Cân i
Gymru. Fe fu pobol yn swnian arna'i i wneud, a finna'n
ddigon gwirion i gytuno. Ffeindio canwr newydd arbennig
oedd y cam nesa. Pwy fysa'n canu hon gyda'r teimlad
angenrheidiol?
    Roedd bachgen oedd o Fangor yn wreiddiol, Colin

Roberts, newydd symud i Langefni. Gwahoddwyd ef i chwarae bas i'r Moniars gan ei fod yn offerynnwr medrus iawn ac wedi chwarae mewn nifer o grwpiau Cymraeg. Dorcas oedd un os cofiaf yn iawn. Wrth gyd-chwarae yn y band efo Colin, dyma'i glywed yn canu cân Saesneg. Hwn oedd y llais roc gora a glywais i erioed. Oedd, yr oedd o'n 'mid-Atlantic'. Ond eto roedd hi'n amhosib peidio cael eich cyfareddu gan y llais anhygoel hwn. 'Colin y Llais' oeddan ni'n ei alw fo o hynny ymlaen.

Dyma ofyn i Colin felly fysa fo'n hoffi rhoi cynnig ar Cân i Gymru? Ac yntau'n cytuno'n syth. Deud y gwir, mae'n resyn mawr na fu i Col recordio albwm unigol yn Gymraeg neu'n Saesneg gan y byddai'n sicr wedi bod yn llwyddiant mawr yn fy nhyb i.

Dyma ddanfon y gân i gystadleuaeth Cân i Gymru yn y dull arferol, ac fe aeth trwodd i'r wyth olaf. Cofiaf yn dda fod Colin yn nerfus iawn ond yntau heb unrhyw reswm i boeni gan fod ei lais anhygoel yn cario'r gân yn wych a hwylus. Rwy'n cofio iddi fod yn dipyn o ddadl ynglŷn â beth y dylai ei wisgo ar gyfer y perfformiad ar y teledu. Roedd hyn wedi ei gynhyrfu braidd, a hynny ddim yn help o gwbwl iddo. Ond ychydig funudau cyn y perfformiad, cofiaf i Colin ganu'r darn 'Mae oriau bywyd yn mynd heibio' gyda'r fath angerdd nes ein bod i gyd fel aelodau'r Moniars bron iawn yn ein dagrau.

Fu'r gân ddim yn fuddugol y tro hwn ond fe gawsom ganiatâd gan Avanti i ddefnyddio'r recordiad ar ein halbwm newydd o ganeuon y Moniars. Rwy'n ddiolchgar i'r cwmni am hynny hyd heddiw gan fod Colin wedi ei chanu mor arbennig yn y stiwdio.

Rhyfeddais ers rhyddhau'r CD o'r un enw gymaint a fyddai'n gofyn i ni berfformio'r gân hon mewn gigs. Teimlais ei bod hi, hwyrach, yn gân rhy ddifrifol i'w pherfformio mewn gigs arferol. Ond ar y llaw arall mae'n debyg iawn fod pobl yn cymryd at y gân, ac at y gytgan yn enwedig gan ei dehongli ar eu lefel hwy o deimladau ac ystyr. Eisiau gweld rhywun yn dod adref ar ôl bod oddi cartref mor hir, hwyrach. Neu wedi colli un a garwyd ac yn ysu iddi hi neu fo i ddod adref cyn diwedd y dydd. Ysfa i weld rhywun agos atoch yn dod adref yn saff cyn i'r haul fynd lawr.

Mae caneuon yn medru bod yn bethau rhyfedd yn aml a gallant fod ag ystyr amrywiol i wahanol bobol. Dyna un o'r pethau sy'n medru gwneud cân yn gyfrwng mor arbennig.

Colin Roberts a dwy o ffans ffyddlon Moniars

16.

Y Lleuad a'r Sêr

Biti na faswn i yn gwybod bryd hynny
Be dwi'n wybod nawr,
Gresyn na fyddwn i wedi gweld yn glir
Be oedd y gwir;
'Nes i'm deud wrtha ti be oedd ym môr fy nghalon i,
A dyma fy ngofid i, na 'nes i'm nofio atat ti.

Am mai ti oedd y sêr yn y nos mor ddu
Rhoddaist obaith i mi,
A ti oedd y lleuad yn dangos i mi'r ffordd
Yn ôl bob tro;
A ti oedd yr un a'm cododd oddi ar y llawr
Pan o'n i 'di syrthio i lawr.
Ie, ti oedd yr un.

Gresyn na fyddai'n bosib cael teithio'n ôl
I'r dyddiau gynt,
Dw inna'n gofyn i mi fy hun, ble'r wyt ti rŵan
Ar dy hynt?
'Nes i drio dy anghofio, ond 'r atgofion a saethai'n ôl,
Roedd amser mor benderfynol na chawn i dy adael di ar ôl.

Am mai ti oedd y sêr yn y nos mor ddu,
Rhoddaist obaith i mi,
A ti oedd y lleuad yn dangos i mi'r ffordd
Yn ôl bob tro;
A ti oedd yr un a'm cododd oddi ar y llawr
Pan o'n i 'di syrthio i lawr,
Ie ti oedd yr un.

Y lleuad a'r sêr,
Llawenydd mor bêr, Ie ti ydi'r un!

Elin Angharad – enillydd Cân i Gymru 2015

Rhaid cynnwys y gân arbennig hon gan iddi ennill Cân i Gymru 2015 i mi efo Elin Angharad o Sir Fôn yn ei chanu. Rheswm arall dros ei chynnwys yw oherwydd ei bod hi'n trafod pwnc sy'n agos iawn at fy nghalon sef clefydau Dementia ac Alzheimers. Stori drist iawn sydd y tu ôl i'r gân, ond stori sy'n werth ei dweud.

Roeddwn i wedi cael gwahoddiad gan Ganolfan Gerdd William Mathias drwy Meinir Llwyd Roberts i weithio ar brosiect oedd yn newydd i mi drwy'r Gymdeithas Alzheimers gyda'r delynores Nia Davies Williams. Roeddwn i wedi dotio at y lle wrth i'r drws newydd hwn agor ar ôl i mi ymddeol yn gynnar o ddysgu.

Yn gall iawn, fe wnaeth Meinir drefnu i ni fynychu cwrs undydd yn y Galeri yng Nghaernarfon i ddysgu'n fras am y gwahanol fathau o Dementia sy'n bodoli. Ac i egluro bod Alzheimers yn fath arbennig o Dementia a bod iddo ei nodweddion gwahanol. Synnais o glywed fod Dementia yn gallu taro pobl ganol oed yn ogystal â'r henoed. Dyma wraidd y stori sydd yn y gân hon.

Cefais fynychu cyfarfodydd arbennig yn Hen Golwyn, y Rhyl a Dinbych gyda'r Gymdeithas Alzheimers. Fel y disgwyliais, pobl mewn oed oedd y rhan fwyaf o fynychwyr y sesiynau canu hyn. Ond sylwais mewn un sesiwn fod dyn llawer fengach na fi ymhlith y cleifion. Ro'n i'n tybio ei fod yn un o'r gwirfoddolwyr oedd yno'n cynorthwyo. Ond na, roedd o'n un o'r dioddefwyr. Fe ddeuai ei wraig gydag o i sicrhau ei fod o'n cyrraedd yn saff a ddim yn mynd ar goll.

Roedd hi yn wir arwres ac wedi rhoi'r gorau i'w gwaith dysgu i edrych ar ôl ei phriod. Fe wyddai hi rywbeth na wyddwn i sef y byddai ei gŵr yn colli defnydd helaeth o'i ymennydd ymhen ychydig amser ac nad oedd gwellhad i'w gyflwr.

Dim ond yn ei ddeugeiniau oedd o bryd hynny. Roedd o'n medru siarad gyda mi yn rhesymol ac wrth ei fodd yn canu caneuon Cymraeg a Saesneg gan gofio'r geiriau yn dda yn amlach na pheidio.

Yn dilyn pob sesiwn ceid amser paned a sgwrs anffurfiol, a chefais aml i drafodaeth dda gyda'i wraig. Yn un peth medrai siarad Cymraeg. Yn wir, roedd hi'n falch o gael dweud ei dweud a rhannu ei phrofiadau am ei gŵr. Deallais ei fod o'n gwaethygu'n raddol ac nad oedd modd iddi ei adael ar ben ei hun yn y tŷ. Synhwyrais fod ganddi ofal mawr drosto a'i bod yn meddwl y byd ohono. Dywedodd mai ef oedd wedi ei chynnal hi yn y blynyddoedd a aeth heibio ac mai ef oedd ei seren ar aml noson ddu yn ei bywyd. Cydiodd hyn yn fy nychymyg a chychwynnodd hedyn egino a thyfu yn fy mhen. Ef oedd yr un a'i 'cododd oddi ar y llawr' pan oedd hi 'di syrthio i lawr'. Roedd ei geiriau hi ei hun bron yn gytgan yn barod.

Fel mae wedi digwydd yn aml roeddwn i'n gorffen y gân jyst cyn dyddiad cau Cân i Gymru 2015. Roeddwn i'n nabod Elin Angharad ers ei bod hi'n eneth fach yn canu 'Harbwr Diogel' efo'r Moniars mewn parti pen-blwydd aelod o'i theulu yng ngardd ei chartref. Penderfynais gynnig y gân iddi a gofyn ar yr un pryd i Richard Stiwdio Ferlas, Penrhyndeudraeth, wneud trefniant o'r gân.

Un anodd iawn i gael gafael arno yw Richard, un o gynhyrchwyr gorau Cymru heb os. Ond y tro hwn fe gawsom ymateb rywsut neu'i gilydd a sicrhau amser i recordio'r gân yn null anhygoel Rich. Dyna pam wnes i benderfynu rhoi hanner hawlfraint y gân iddo. Roedd y trefniant wedi gweithio mor dda ac wedi gwneud y gân yn well cyfansoddiad o lawer drwy ei drefniant ef. Atgoffai fi o'r gŵr enwog hwnnw a adnabyddid fel y Pumed Beatle am iddo drefnu llawer o'u caneuon a'u troi'n ganeuon hollol arbennig. George Martin oedd hwnnw, wrth gwrs.

Cafodd Elin Angharad a'i brawd cerddorol hefyd gyfle i gyfrannu i'r cyfansoddiad a'r trefniant. Yn wir, yn y perfformiad buddugol ar y rhaglen Cân i Gymru fe wnaeth Bryn ganu gyda'i chwaer. Roedd hynny yn 'nice touch' fel y dywed y Sais. Cyfuniad gwych o ddau gantor arbennig iawn. Fe wnaeth Elin ei pherfformio yn wych gan wneud be fydda i'n chwilio amdano bob amser sef rhoi enaid yn y canu; teimlo'r geiriau i'r byw. Yn enwedig felly yn y darn:

> 'Nes i'm deud wrtha ti be oedd ym môr fy nghalon i,
> A dyma fy ngofid i, na 'nes i'm nofio atat ti.

Mae profiad y wraig yn y geiriau yn debyg i brofiad Mike Rutherford o Genesis a Mike and the Mechanics, a sgrifennodd y gân hollol wych honno, 'In the Living Years'. Y teimlad o ddifaru am i ni fethu â dweud pethau wrth bobol agos atom cyn i ni eu colli. Mae colli rhywun i Dementia yn brofiad erchyll. Mae'r dioddefwr yn dal yno o ran corff ond erbyn y diwedd heb ddealltwriaeth o iaith na sefyllfaoedd. Sôn mae 'Y Lleuad a'r Sêr' am y teimlad hwn, sef y dylid fod wedi dweud rhai pethau arbennig cyn i'r dirywiad mawr meddyliol lethu'r person a gerir.

Gair da ydi 'difaru', yn dod o'r gair 'edifarhau'. Mae'n EDIFAR gen i. Ychydig mae pobl ein hoes ni yn difaru yn ei gylch, neu'n edifar am rywbeth a wnaethant neu na wnaethant nes aeth hi'n rhy hwyr. Sawl un ohonom wnaeth ddweud rywbryd, 'Gresyn na fyddai'n bosib teithio'n ôl i'r dyddiau gynt!' Ond tydi hynny byth yn bosib yn anffodus a does yna ddim Peiriant Amser fel sydd gan Doctor Who. Mae colli cyfle yn beth dirdynnol, a sylweddoli nad ydym ni wedi gwneud rhywbeth y dylem ac yr hoffem fod wedi ei wneud yn ein bywydau fel unigolion.

Afiechyd creulon yw Dementia sy'n gallu ymosod ar unrhyw un yn ddirybudd ac ar berson yng nghanol bywyd llawn, nid ar henoed yn unig. Felly dyna pam yr hoffwn gyflwyno'r gân hon i bawb sy'n dioddef o Dementia ac i'w teuluoedd sy'n gorfod dioddef y dirywiad creulon.

Fe ddaeth y prosiect 'Music for the Brain – Cerddoriaeth i'r Ymennydd' i ben yn anffodus ac fe ddyfalais lawer gwaith beth ddaeth o'r cyfaill canol-oed a hoffai ganu gymaint. Ac yn wir i chi, ymhen ychydig flynyddoedd wedyn fe gefais wahoddiad i gynnal sesiynau fel rhan o'r prosiect. A phwy oedd yno yn y cartref arbennig hwn ond yr union un a oedd wedi dioddef Dementia mor ifanc.

Roeddwn i mor falch o'i weld – wedi dotio, a dweud y gwir. Roedd o wedi dirywio llawer ac yn methu siarad erbyn hynny. Eisteddai'n barhaol mewn cadair am na allai symud chwaith. Yn wir, fe ddeuai ei wraig ffyddlon i'w weld yn gyson i'r cartref. Roedd y gofal wedi mynd yn ormod iddi yn eu cartref eu hunain, ac yntau yn y cyflwr yr oedd o wedi dirywio iddo.

Er hynny, dydi stori'r gân hon ddim yn mynd i orffen mewn tristwch. Er mawr syndod i bawb, mynnai'r gŵr hwn hymian yr alawon yr oeddwn yn eu canu i'r grŵp cyfan. Roedd yr un stafell fach arbennig honno ar gyfer Cerddoriaeth i'r Meddwl yn dal yn agored a'i drws heb ei gau yn llwyr.

Fe ddywed yr arbenigwyr hynny sy'n hyddysg mewn astudiaethau meddygol a meddyliol mai cerddoriaeth yw'r gynneddf gyntaf i ni ei phrofi mewn bywyd. Hynny drwy guriad calon y fam tra mae'r plentyn yn y groth. Wedyn cawn y fam, yn fuan wedi'r enedigaeth yn canu i'w baban. Yn wir, mae angen ail-bwysleisio i rieni ifanc mor bwysig yw iddynt ganu i'w plant. A hynny cyn i'w plant hyd yn oed fedru siarad.

Ac yna, cerddoriaeth sy'n sbarduno'r gynneddf olaf pan fydd sgwrsio a chofio pethau bob-dydd wedi cilio bron yn llwyr. Yn aml iawn bydd cerddoriaeth yn dal ar ôl mewn man arbennig yn yr ymennydd. Dyna pam y mae canu cân o blentyndod rhywun yn gallu deffro'r man arbennig hwnnw yn y meddwl. Ac yn aml bydd y rheiny sydd bron ag anghofio'n llwyr bob arlliw o'u gorffennol yn medru cofio caneuon ac alawon o'u gorffennol pell.

Peth rhyfedd iawn yw gweld hyn yn digwydd mewn realiti ar achlysuron o greu miwsig gydag unigolion neu grŵp o bobol arbennig. A braint yw bod yno i'w cymell a'u hannog i ymuno yn yr hwyl drwy daro nodau ar offeryn cerdd neu ddim ond canu neu hymian.

Elin Angharad yn ennill Cân i Gymru efo'r gân 'Y Lleuad a'r Sêr'

17.
Haul ar Fryn

(Geiriau Rhian Evans, alaw a chytgan Arfon Wyn)

Os wyt ti'n teimlo fel rhoi fyny,
Cymra un dydd ar y tro,
Dyfal donc a dyr y garreg,
Paid rhoi'r ffidil yn y to.
Os wyt ti'n teimlo ar ben dy hunan
Ac yn isel a di-werth,
Cofia, bach yw hedyn mawredd
Ac mewn undod fe gei nerth.

Fe ddaw eto haul ar fryn,
Gobaith sy'n yr enfys, Duw a'i myn;
Fe ddaw eto haul ar fryn
Ac fe gawn ni ddyddiau hapus ar ôl hyn.

Os wyt ti'n teimlo'n ddiobaith,
Dyro dy law a dal yn dynn,
Fe awn i ben y mynydd,
Fe ddaw eto haul ar fryn.
Os wyt ti'n teimlo fel rhoi fyny,
Cymra un dydd ar y tro,
Dyfal donc a dyr y garreg,
Paid rhoi'r ffidil yn y to.

Fe ddaw eto haul ar fryn,
Gobaith sy'n yr enfys, Duw a'i myn.
Fe ddaw eto haul ar fryn
Ac fe gawn ni ddyddiau hapus ar ôl hyn.

Ac fe gawn ni ddyddiau hapus,
Ac fe gawn ni ddyddiau hapus,
Ac fe gawn ni ddyddiau hapus ar ôl hyn.

Dylan Morris a finna'n canu y gân mewn cae ar y Foryd

Hon yw'r gân ddiweddaraf i mi ei chyfansoddi cyn mynd
â'r llyfr hwn i brint. Cân wedi codi o gydweithrediad gyda
Dylan Morris yw hi. Fe'i cyfansoddwyd yn ystod y cyfnod
clo a thrwy dudalen Facebook/ Gweplyfr o'r enw Côr-ona
ar gyfer cantorion o bob math yn ystod y cyfnod clo yn
2020–2021.

Cyfnod anodd ofnadwy fu hwnnw i lawer ohonom.
Colli anwyliaid yn yr ysbyty. Dim cael mynd i weld
perthnasau mewn ysbytai na chartrefi henoed. Llawer o'r
boblogaeth yn ddifrifol sâl a'r staff yn yr ysbytai dan
bwysau annioddefol a'r wardiau'n gorlifo. Mae'n amser na

wnawn fyth mo'i anghofio. Cyfnod y pla. Cyfnod y clo. Cyfnod y Covid-19.

Yng nghanol hyn i gyd wrth gwrs roedd pobl yn digalonni'n arw, a minnau yn eu plith gan na chawn i fynd i weld fy mam fy hun mewn cartref gofal lleol. Cartref Y Rhos ym Malltraeth oedd hwn, cartref ardderchog. Ond er hynny roedd peidio cael gweld fy mam yn artaith nad anghofiaf byth gan iddi farw y mis Ionawr canlynol. Diolch i'r drefn, roedd pethau wedi gwella rhywfaint erbyn diwedd 2020 a chawn ei gweld drwy wydr gan sgwrsio â hi dros y ffôn yr un pryd

Roedd gwir angen rhywbeth i godi calon pobl, a dyna'r syniad gwych a esgorodd ar dudalen FB 'Côr-ona' a sefydlwyd gan Catrin Angharad (Catrin Toffoc). Mae Catrin yn gantores wych ei hun wrth gwrs. Yno ar Côr-ona roedd gŵr ifanc yn canu caneuon adnabyddus bob nos ac yn denu gwrandawyr sylweddol i'w ganu. Dylan Morris oedd ei enw a theimlais y byddai'n beth da iddo gael caneuon newydd sbon a fyddai'n siwtio'i arddull a'i lais.

Yn yr un cyfnod roedd athrawes ifanc yn ardal Caerdydd wedi cyfansoddi ychydig o benillion i godi calonnau plant bach oedran ysgolion cynradd, ond nad oedd ar y pryd yn cael mynychu ysgol oherwydd y clo. Fe wnaeth Ysgol Gynradd Llanfairpwll gyhoeddi'r penillion ar eu tudalen ar y Gweplyfr, ac felly y daethant i'm sylw.

Yn aml fe sylwir fod pobol yn hoffi geiriau syml, fel rhai plant, ac yn eu trysori. Dydi o'n ddim o bwys fod y geiriau na'r alaw chwaith yn syml. Weithiau mae cân felly'n cydio. Esiampl dda yw 'Coffi Du' gan Gwibdaith Hen Frân. Mae yna amryw o enghreifftiau tebyg.

Ar gyfer plant bach oedran ysgol felly y penderfynais drio rhoi geiriau Rhian Evans ar gân gydag alaw syml a chofiadwy. Rhaid oedd cyfansoddi cytgan gan nad oedd un efo'r penillion gwreiddiol ac roedden ni'n fyr o un hanner pennill. Felly gan fod amser yn brin dyma ail-adrodd rhan un o'r pennill cyntaf ar ddiwedd pennill dau a'i chanu ar fideo ffôn symudol a'i danfon i Dylan. Ac roedd o'n ei hoffi. Erbyn trannoeth roedd o wedi ei dysgu hi'n gyfan. Ac fel y gwnes i sylwi wedyn wrth weithio mwy gydag ef, mae'n un sy'n gallu dysgu caneuon yn gyflym dros ben.

Fe wnes i chwarae'r alaw yn unig ar y gitâr ar y fideo ffôn. Dyma fo a minnau wedyn, er nad oedden ni erioed wedi cyfarfod, yn canu'r bennill gynta a'r gytgan gyda'n gilydd. Yna fe wnes i ganu'r ail bennill ac yna'r gytgan eto gyda'n gilydd. Dyma Dylan wedyn yn gosod y cyfan ar fideo ar Cor-ona.

Bu'r ymateb i'r gân yn rhyfeddol o bositif. Cafodd Rhian hefyd glywed y gân a'i mwynhau. Roedd hi wrth ei bodd. Roedd rhaglen *Heno* â diddordeb mewn recordio eitem am y gân. Ond sut? Gyda'r cyfnod clo cyntaf bron â dod i ben, roedd hi'n bosibl i ni gyfarfod yn yr awyr agored, ond inni beidio ysgwyd llaw ac ati, dim ond recordio'r gân a phawb ohonom ddau fetr oddi wrth ein gilydd. Trefnodd Elin Fflur i ni gyfarfod ar ddiwrnod eithriadol o braf ger y Foryd yng Nghaernarfon. A dyma Dylan yn cwrdd â mi am y tro cyntaf ond yn gorfod canu gyda mi ar raglen deledu. Bu'r hyn ddigwyddodd wedyn yn fythgofiadwy i ni'n dau ac i'r tîm o *Heno*. Diolch Tinopolis.

Oherwydd ei fod yn gyfnod mor anghyffredin o anodd,

rhaid oedd ceisio canfod dulliau newydd o weithredu. Cofiaf i ni gynnig helpu'r dyn camera i gario ei offer i ben arall y cae, ond yntau'n gorfod gwrthod yr help a chario'r holl gêr trwm ei hun, hynny'n golygu o leiaf ddwy siwrna.

Fe wnaeth y dyn camera ac Elin Fflur wyrthiau'r diwrnod braf hwnnw ac mae'r fideo gorffenedig a gynhyrchwyd ganddynt yn aros yng nghof llawer ohonom. Canu 'Haul ar Fryn' yn y cae ger y Foryd, a'r Fenai a thre Caernarfon yn y cefndir. Fideo da i gofio'r cyfnod erchyll ond efo arwydd o obaith am amser gwell i ddod.

Credais fel Rhian, awdures y geiriau, fod yn rhaid ceisio codi calon y cyhoedd drwy'r gân hon. Ac yn wir credaf y bydd hon yn gân a gofir gan lawer fel un i nodi cyfnod anodd ac fel un a gododd galonnau. Cyfansoddais yr alaw yn syml ar batrwm roc a rôl cynnar gyda G, Em, Am, D fel man cychwyn ac yna creu cytgan hollol newydd:

Fe ddaw eto haul ar fryn,
Gobaith sy'n yr enfys, Duw a'i myn,
Fe ddaw eto haul ar fryn
Ac fe gawn ni amser hapus ar ôl hyn.

Byddai Nain Gwalchmai yn sôn yn aml am haul ar fryn pan oeddwn i'n blentyn. Yn sicr roedd hi yn ei hoed a'i hamser wedi profi digwyddiadau tywyll iawn. Bu fyw drwy ddau Ryfel Byd a thlodi enbyd ond fe gredai'n gryf ac yn obeithiol y deuai haul ar fryn. Soniai am y bryn yn cuddio'r haul i gychwyn ond gydag amser fe godai'r tywyllwch, a'r haul yn ymddangos uwchben y bryn i oleuo'r dyffryn.

Yn ogystal roedd plant bach ymhob rhan o wledydd

Prydain, am reswm gwych, wedi cymryd arnynt i wneud a gosod lluniau o'r enfys ym mhob man. Pob ffenestr bron, ar giatiau ffermydd, ar lonydd, ar bosteri mewn cysgodfannau bysys a phob math o fannau cyhoeddus eraill. Yr enfys oedd y symbol a ddewiswyd gan y plant i ddiolch i weithwyr y Gwasanaeth Iechyd oedd – ac sydd – â'u bywydau yn y fantol bob dydd wrth drin dioddefwyr y Covid a phob math o anhwylderau eraill. Collodd llawer o'r gweithwyr hyn eu bywyd wrth ofalu am eraill.

Ond credaf fod y dewis o enfys gan y plant yn fwy na hynny. Bu'n arwydd bythol o obaith ers dyddiau hanes Noa yn y Beibl. Gobaith am ddyddiau gwell i ddod ar ôl amser caled a chythryblus. Roedd llawer wedi ceisio dwyn yr enfys fel symbol o achosion eraill. Ond yr oedd yn eithriadol braf i weld yr enfys yn symbol o obaith ym mhob drws a ffenestr drwy Gymru a thu hwnt. Arwydd o'n diolch diffuant fel cenedl.

Rhaid oedd credu fod dyddiau da eto i ddod wedi'r pandemig, yn arbennig i'r plant gan eu bod wedi bod yn gaeth i'w cartrefi am flwyddyn gron, yn colli eu ffrindiau, yn colli eu haddysg arferol yn yr ysgol a cholli chwarae gyda'i gilydd. Gwyddwn fel cyn-brifathro y gallai hyn niweidio eu syniadaeth am byth a gwneud difrod i'w hiechyd meddyliol. Rhaid oedd credu fod dyddiau gwell i ddod a bod modd bod yn hapus eto fel cynt.

Ac felly y bu. Diolch i wyddonwyr yn gweithio nos a dydd ledled y byd fe ddaeth triniaeth i'r feirws. Fe ganfuwyd amryw o frechlynnau yn union fel y canfuwyd rhai i drin clefydau peryglus eraill oedd yn bygwth dynoliaeth. Diolch i'r drefn fe ddaeth yn eithaf cyflym, ac o ganlyniad fe brofwn ni ddyddiau gwell yn gynt nag y tybiwyd.

Cawsom adeiladwyr yn dod i weithio ar y tŷ acw a braf oedd eu clywed yn canu 'Haul ar Fryn' gan ddweud ei bod hi'n anthem yng nghyfnod y pandemig i ni'r Cymry. Wn i ddim am hynny ond roedd yn braf clywed hogia'r werin o Walchmai, yn weithwyr caled a gonest, yn ymateb mor gynnes i'r gân hon.

Ond sut y bu i ni ei recordio hi yn Stiwdio Sain yng nghanol pandemig? Wel diolch am hynny, roedd pethau ychydig yn well, ac fe gawsom ganiatâd i fynd i'r stiwdio gyda Dylan. Roedd yna amodau, wrth gwrs. Gwisgo masgiau er enghraifft, cadw pellter a golchi dwylo'n aml. Y canlyniad fu cynhyrchu EP. Casgliad byr o ganeuon oedd y bwriad, rhyw dair cân. Ond wrth lwc roedd gen i ganeuon heb eu rhyddhau. Fe wnaethom drosglwyddo'r rheiny i Dylan. A dyma gasgliad mwy sylweddol i'w CD cyntaf. Teimlais fod yn rhaid i'r un gyntaf wneud ei marc iddo fel llais newydd yn y maes canu cyfoes Cymraeg. 'Haul ar Fryn' oedd y brif gân, a dewiswyd teitl y gân fel teitl y ddisg hefyd.

Fe werthodd hon fel slecs drwy Gymru a thu hwnt. Diolch yn arbennig i Sain, i Aled y cynhyrchydd, i Nest Llewelyn ac i Siôn Gwilym, Richard Synnott a Russ Hayes am fentro i greu'r EP. Bydd yn fodd i gadw ar gof y cyfnod hynod anodd hwn ac yn ein hatgoffa fod modd gweld haul ar fryn mewn ffordd real yn ein bywydau go iawn.

Bydded i'r brechlyn gael ei rannu drwy bob gwlad drwy'r byd, yn enwedig y gwledydd tlawd fel y bydd yn haul ar fryn i bawb!

Rhian Evans, a ysgrifennodd y geiriau i 'Haul ar Fryn'

Discograffi

Lleoliadau'r caneuon

Cân y Crwydryn

EP feinyl Yr Atgyfodiad, Sain. – Trac 2.

CD *Edrych Ymlaen at Edrych yn Ôl*. Sara Mai a'r Moniars. Sain. – Trac 9.

CD *Methu Cadw Ni Lawr*. Y Moniars, Fflach. – Trac 14.

Ni Welaf yr Haf

LP feinyl *Haul Ar Yr Eira*, Pererin. Gwerin, a'r fersiwn CD gan Guerssen (Catalonia) – Trac 5.

Credaf

Sengl feinyl, *Credaf*, label Mia, Ochr 1.

CD *Edrych Ymlaen at Edrych yn Ôl*, Sara Mai a'r Moniars. Sain. – Trac 8.

Y Drws

LP feinyl *Teithgan* gan Pererin. Label Gwerin. – Trac 1.

Hefyd ar y CD gan Face the Dawn Music a Guerssen.

Pwy Wnaeth y Sêr Uwchben?

LP feinyl a CD *Pwy Wnaeth y Sêr Uwchben?* gan Arfon Wyn a Chyfeillion. Gwerin. – Trac 1.

Curiad Calon i Ffwrdd

Casét, Pry Clustiog

CD Moniars, *Methu Cadw Ni Lawr*. Fflach. – Trac 9.

Pan Ddaw yr Haf

Casét, *Ffordd y Ffair* gan Eirlys Parri.

CD *Edrych Ymlaen i Edrych yn Ôl*, Sara Mai a'r Moniars.
   Sain. – Trac 1.

Fe Godwn Eto

CD, *Y Gorau o Ddau Fyd*. Moniars. Crai-Sain. – Trac 6.

Cariadon Bosnia

CD *Plant y Môr*, Linda Griffiths. Sain. – Trac 5.

Cofio am Richie ac Ifan

CD *Hyd yn oed Nain yn Dawnsio*. Moniars. Crai-Sain. – Trac
   18.

Cae o Ŷd

CD EP *Cae o Ŷd*. Amryw artistiaid. Sain

CD *Cân i Gymru (Y Casgliad Cyflawn)* Sain

CD *Edrych Ymlaen at Edrych yn Ôl*, Sara Mai a'r Moniars.
   Sain. – Trac 13.

ac amryw o recordiadau eraill.

Harbwr Diogel

CD *Harbwr Diogel*, Elin Fflur a'r Moniars. Sain. – Trac 1.

CD *Goreuon Elin Fflur*. Sain.

ac amryw o recordiadau eraill.

Paid â Cau y Drws

CD *Harbwr Diogel*, Elin Fflur a'r Moniars. Sain. – Trac 4.

CD *Goreuon Elin Fflur*. Sain.

Papillon

CD *Harbwr Diogel*, Elin Fflur a'r Moniars. Sain. – Trac 9.

Cyn i'r Haul Fynd Lawr

CD *Cyn i'r Haul Fynd Lawr*, Y Moniars. Label Ciansi. – Trac 1.

Y Lleuad a'r Sêr

CD *Cyn i'r Haul Fynd Lawr*, Y Moniars. Label Ciansi. – Trac 8.

Haul ar Fryn

EP *Haul ar Fryn*, Dylan Morris. Sain. – Trac 1.